ACERCA DEL AUTOR

Osvaldo Soriano nace en el Mar del Plata en 1943. Publica su primera novela *Triste, solitario y final* en 1973. En 1976, después del golpe de estado, Soriano viaja a Bélgica y París hasta 1984, año en que vuelve a Buenos Aires. En 1983 aparece *No habrá más penas ni olvido*, llevada al cine por Héctor Olivera, que obtuvo el Oso de Plata en el festival de cine de Berlín. En 1983 publica *Cuarteles de invierno*, considerada la mejor novela extranjera en Italia y llevada dos veces al cine. En 1984 *Artistas, locos y criminales* y en 1988 *Rebeldes, soñadores y fugitivos* se publican estas colecciones de textos e historias de vidas. También en 1988 sale *A sus plantas rendido un león*, novela de gran éxito. Soriano se ha traducido a más de quince idiomas. *Una sombra ya pronto serás* es su quinta novela.

UNA SOMBRA YA PRONTO SERÁS

Osvaldo Soriano

DIANA*bcdefghijk*LITERARIA

PRIMERA EDICIÓN, OCTUBRE DE 1992

ISBN 968-13-2334-3

Roberto Gayol 1219
Colonia del Valle
México, D.F., C.P. 03100

Impreso en México — Printed in México

Hace tiempo que todo me sale torcido: me parece que ahora en el mundo sólo existen historias que quedan en suspenso y se pierden en el camino.

ITALO CALVINO, *Si una noche de invierno un viajero.*

Caminito que entonces estabas
bordeado de trébol y juncos en flor
una sombra ya pronto serás
una sombra lo mismo que yo.

PEÑALOZA, FILIBERTO, *Caminito.*

1

Nunca me había pasado de andar sin un peso en el bolsillo. No podía comprar nada y no me quedaba nada por vender. Mientras iba en el tren me gustaba mirar el atardecer en la llanura pero ahora me era indiferente y hacía tanto calor que esperaba con ansiedad que llegara la noche para echarme a dormir debajo de un puente. Antes de que oscureciera miré el mapa porque no tenía idea de dónde estaba. Hice un recorrido absurdo, dando vueltas y retrocediendo y ahora me encontraba en el mismo lugar que al principio o en otro idéntico. Un camionero que me había acercado hasta la rotonda me dijo que encontraría una Shell a tres o cuatro kilómetros de allí pero lo único que vi fue un arroyo que pasaba por abajo de un puente y un camino de tierra que se perdía en el horizonte. Dos paisanos a caballo seguidos por un perro mugriento iban vareando animales y eso era todo lo que se movía en el paisaje.

El arroyo estaba seco y bastaba con prender unas ramas para que los bichos y las culebras se alejaran enseguida. Al menos eso me dijo el maquinista con el que hice el primer trecho a pie después que el tren nos abandonó en medio del campo. Los otros pasajeros se habían quedado esperando que vinieran a buscarlos, pero cuando a la segunda noche el guarda y el maquinista juntaron la comida y se largaron por la vía, yo los alcancé corriendo y así empecé la caminata.

Ahora no sabía adónde iba pero al menos quería entender mi manera de viajar. Encendí el fuego y volví a la ruta a fumar el primer cigarrillo del día. Ya era noche cerrada y estuve escuchando un rato a los grillos y mirando las estrellas. De pronto recordé a aquel astrónomo alemán que vino a verme indignado por las últimas teorías de Stephen Hawking y me propuso que le desarrollara un programa para calcular la onda gravitacional de un astro fugaz. Quería presentarlo en un congreso de Frankfurt pero cuando me trajo las primeras ecuaciones a mí ya me habían echado del instituto.

Hacía rato que estaba sentado al borde del camino cuando pasó un Sierra tocando bocina y casi se lleva por delante la rotonda. Fue el último coche que vi y a las diez fui a buscar unas manzanas que me dejó el camionero porque las manos me estaban temblando de hambre. En el bolso llevaba unos grisines que había sacado del comedor del tren, pero me dije que sería mejor dejarlos para la mañana siguiente. Quería salir temprano, conseguir algo de comer y encontrar a alguien que me acercara hasta una estación donde me devolvieran la plata del boleto. Con eso podría comprarme algo de ropa porque ya me estaba pareciendo a un linyera. Dejé que el fuego se fuera apagando solo, puse el bolso como almohada y pité otro cigarrillo antes de dormirme.

Me desperté al amanecer y fui a ver si encontraba a alguien que pudiera darme una mano. A lo lejos vi a los paisanos que seguían pegados a los caballos como si fueran de una sola pieza. Me hacía falta una comida caliente, una taza de café o algo parecido a lo que toma la gente cuando se despierta. Al ver que cruzaba el alambrado, uno de los peones dio un grito y se me vino al trote con el rebenque al hombro. A la distancia me dio un buenos días sin aprecio y me preguntó qué andaba buscando por ahí. Me escuchaba mirando para atrás como si lo mío no le interesara.

—¿Usted es el que prendió fuego? —me preguntó y señaló el puente con el mango del rebenque.

Le dije que sí, que había dormido allí, y cuando me interrumpió en medio de la explicación me di cuenta de que debía andar muy caído para que un paisano me levantara la voz.

—Eso está prohibido acá —me rezongó como si fuera el dueño del campo.

Nos estuvimos mirando un rato hasta que el otro, que debía ser el capataz, se acercó a ver qué pasaba.

—Venía a pedir un trago de agua, nomás —dije y eso los desconcertó. El otro aprovechó para ponerse en el papel de gaucho bueno y me alcanzó un porrón de ginebra que llevaba en el recado.

—Si quiere se ceba unos mates antes de irse —me dijo y señaló una pava que hervía sobre las brasas.

Le iba a decir que no por puro orgullo pero tenía las tripas tan secas que empezaban a darme retortijones. Tomé un trago, le di las gracias y le devolví el porrón. El otro estaba molesto por lo del fuego o por mi aspecto y se alejó dándole gritos al perro.

En cuanto me dejaron solo me hice un par de amargos bien cargados. El paquete estaba por la mitad y aproveché para guardarme un puñado de yerba para más adelante. Al rato ya me sentía mejor. Llené una botella de agua, la guardé en el bolso y saludé a los paisanos desde lejos. El estómago se me estaba poniendo en marcha y eso me hizo pensar que tal vez ese día las cosas me irían mejor.

Salí a la ruta e hice un trecho caminando despacio, tratando de orientarme, hasta que me topé con un cartel todo torcido que decía "Shell, 3 kms". Me dije que tal vez allí encontraría algún viajante que aceptara llevarme hasta la próxima rotonda.

2

Vista de lejos la estación de servicio parecía haber sido próspera alguna vez, pero ahora tenía nada más que un surtidor de gasoil para los tractores y otro de nafta súper por si pasaba alguien en apuros. El aceite que anunciaba la propaganda hacía años que no se fabricaba más. La gomería y el comedor estaban cerrados y empezaban a caerse a pedazos. El empleado todavía estaba durmiendo con las cortinas cerradas y sólo se iba a despertar si escuchaba el ruido de un motor.

En el patio encontré una bomba que tiraba un hilo de agua. Me desnudé y probé lavarme con un detergente de parabrisas que encontré al lado del surtidor. Al principio me hizo arder la piel pero si me enjuagaba rápido podía darme el primer baño completo desde que empecé a andar por las rutas. Me di un buen remojón sentado en la pileta, tratando de no hacer ruido, hasta que vi un gato que me miraba desde el portón del garaje. Era negro y flaco como en los dibujos animados y me mostraba una laucha que revoleaba por el aire. Hice como que no le hacía caso y aproveché para afeitarme con mucho cuidado, usando la espuma que había quedado en la pileta. Sin espejo no era fácil y me hice un corte al lado del lunar. El cuello me ardía y seguramente me iba a brotar un buen zarpullido pero quería estar limpio para no espantar más a la gente.

Lavé el calzoncillo y lo colgué del alambrado. El gato se vino a desayunar a mi lado, y como el baño me había dado hambre saqué un par de grisines y los mastiqué despacio para hacerlos durar. Estuvimos comiendo un rato largo, cada uno concentrado en lo suyo. Alrededor no volaba una mosca pero supuse que en algún momento tendría que pasar alguien que fuera hacia el sur. Cuando terminó, el gato se tiró al sol y cerró los ojos. Todavía no eran las ocho y el cielo estaba limpio como en las mejores mañanas de verano. Pensé que sería domingo y por eso el tipo de la Shell no se había levantado todavía. Las posibilidades de que pasara algún viajante eran pocas pero no quería amargarme: me había dado un buen baño y hasta tenía un poco de yerba para hacerme un mate cocido.

Tantas veces empecé de nuevo que por momentos sentía la tentación de abandonarme. ¿Por qué si una vez conseguí salir del pozo volví a caer como un estúpido? "Porque es tu pozo", me respondí, "porque lo cavaste con tus propias manos". Un chimango vino a posarse sobre el alambre, cerca de la camisa, y el gato abrió un ojo. Al mismo tiempo escuché el ruido de un auto que se acercaba por la ruta. Di un salto para ir a buscar la camisa y el pájaro salió volando cerca de mi cabeza. Apenas tuve tiempo de calzarme los zapatos y agarrar el saco cuando a la playa entró un Renault Gordini lleno de valijas sobre el techo y un paragolpes alto como el de un camión. Tenía la carrocería llena de parches y las gomas nuevas como si lo hubieran resucitado esa mañana. Dio un salto en el terraplén, hizo un zig zag y entró, triunfal, a la explanada de los surtidores.

—¡Finito —gritó el que manejaba—, l'avventura è finita!

A duras penas pudo despegarse del asiento. Pesaba como 120 kilos y le calculé cincuenta y cinco años mal llevados; tenía unos anteojos sucios, la camisa sudada y los zapatos negros bien lustrados.

—Fammi il pieno, giovanoto —me dijo, y para impresionarme, sacó un fajo de billetes grandes.

El coche había sido verde pero ahora no se sabía bien. El motor regulaba con un ruido de bielas cascadas; cada tanto una basura se metía en el carburador y la carrocería daba una sacudida, pero el gordo parecía tenerle una confianza ciega y ni siquiera le prestaba atención.

Le dije que yo no era de allí y que estaba esperando que alguien me llevara para el sur. En ese momento se abrió la puerta de la oficina y apareció un tipo rubio, sin ilusiones, enfundado en el mameluco bordó de la Shell.

—Il pieno —repitió el gordo con los billetes enrollados entre los dedos, sin responder a los buenos días del otro.

—¿Y cosa va fare al sur si se puede saber? —me preguntó, mientras apoyaba una pierna sobre el paragolpes y el Gordini se inclinaba casi hasta el suelo.

—Voy a Neuquén —le dije, aunque no estaba muy seguro.

—¡Petróleo! —exclamó y levantó las manos como si hubiera respondido a una adivinanza. Volví a sentarme con el saco en la mano. El de la estación de servicio dormía de pie mientras los números del surtidor corrían y el gordo se rascaba la cabeza con los billetes.

—¿Y va así nomás, a dedo? —insistió con una sonrisa. Si lo decía todo en castellano apoyaba el acento extranjero. Alcé los hombros y le dije que me había quedado sin trabajo.

—Acá no se puede estar —me advirtió el rubio del surtidor que se había despertado de golpe.

Entonces el gordo saltó, indignado, como si el pleito fuera con él.

—Come non può stare qui? Questo è un luogo pubblico! —señaló la insignia de la Shell, como si fuera uno de los accionistas principales—: E l'immagine dell'imprisa, allora?

—Deme justo que no tengo cambio —lo interrumpió el rubio que no parecía muy impresionado por el sermón. Después me miró como a un facineroso y señaló algo a mi espalda.

—¿Es suyo eso?

Había visto el calzoncillo. El gordo se quitó los anteojos y de golpe su aspecto se volvió menos respetable. El empleado dejó el tapón del tanque sobre el capó y fue hacia el alambrado. Pensé que no iba a aceptar explicaciones y me hice a la idea de que estaba condenado a caminar por el campo hasta el fin de mis días. De pronto el gordo me indicó el tapón y me hizo una seña con la cabeza. Como no tenía nada que perder levanté el bolso, recogí el tapón y me tiré en el asiento desvencijado. El gordo tardó un poco más en llegar pero arrancó igual que si manejara un turbo de ocho cilindros. Entró a la ruta con una maniobra bastante elegante, puso la tercera y le dio un beso a la medallita que llevaba al cuello.

—Signore ti ringrazio —murmuró. En el tablero tenía una calcomanía de Gardel y una estampita de la Virgen de Luján.

—Va a llamar a la policía —le dije.

—No hay teléfono. Nunca hay que ir a lugares que tengan teléfono. ¿El trapo ese era suyo?

—Recién lo había lavado.

Se rió por primera vez. Luego cambió los anteojos por otros para sol y me ofreció un cigarrillo. Me recosté en el respaldo, bajé el vidrio para tirar las primeras bocanadas y me dejé estar. Afuera el aire parecía agua cristalina.

—¿En serio va para el sur? —me preguntó.

—A Neuquén.

—¡Ah, sí! Petróleo —me dijo.

—No, no. Informática.

Quiso meter la cuarta pero el motor no daba para tanto y volvió a poner la palanca en tercera. Movía la cabeza de un lado para otro, contrariado, mientras la camisa se le mojaba en la barriga.

—Finito —insistió con el cigarrillo en los labios—. L'avventura è finita.

—¿Italiano? —pregunté.

—Mi apellido es Coluccini. Si se les habla en otro idioma enseguida bajan la guardia.

—¿Siempre le sale bien?

—Casi siempre. Hay que mostrar los billetes, claro.

Me enseñó el fajo: el primero era grande pero debajo había una pila de recortes de papel.

—Ingenioso —le dije.

—Y que Dios me ayuda un poco. Vine a la Argentina en el 57, de pibe, y empecé con un circo en Paraná. Al tiempo compré otro en Bahía Blanca hasta que me quedé con todo el sur. ¿Qué tal? Míreme ahora.

Lo miré. No parecía un triunfador.

—¿Qué pasó?

—¡Qué pasó! Que esto se convirtió en un gran circo y el mío estaba de más. ¡Finito! ¡Hasta Bolivia no paro!

Me quedé un rato en silencio, tratando de saber si no me estaba tomando el pelo.

—¿Un circo con animales y todo?

—¡Cómo! El único león en serio de todo el país lo tenía yo. Fue lo último que vendí en Chile.

—Ya veo. ¿Y ahora piensa subir a Bolivia con esto?

—¿Y qué quiere? En otra época tuve un Buick y también un 505, pero me agarró la tormenta. Perdóneme que me meta, pero usted también se hundió, ¿no?

—Completamente. ¿Por qué no se vuelve a Italia?

—Por el momento ese asunto está congelado. Ahora la cosa está en Bolivia. Después Río o Miami. Dios dirá.

Volvió a besar la medalla y se quedó con la vista clavada en el medio de la ruta.

—¿Va a montar otro circo?

—No, ya no tengo edad para eso. Yo era acróbata y prestidigitador pero ahora necesito lentes y no ando bien de la columna.

Empezaba a darme la lata y no iba a dejar que me impresionara. Además me di cuenta de que otra vez estaba yendo en sentido contrario.

—Déjeme en el primer cruce —le dije.

—Como quiera, pero voy a agarrar un camino vecinal. No hay que tentar al diablo. En una de ésas el tipo manda llamar a la policía y usted se olvidó el calzoncillo allá.

3

Anduvimos más de dos horas por un camino de tierra y después llegamos a un pavimento que parecía una raya trazada al infinito. Un Bedford amarillo, que había perdido dos ruedas, estaba inclinado sobre la cuneta, a la espera de que alguien lo sacara del apuro. Coluccini giró a la derecha y entró en la ruta a los tirones. No bien nos acercamos al camión el chofer empezó a mover los brazos y el gordo fue a detenerse bajo la sombra que proyectaba la carga.

—Quince horas que estoy acá —dijo el camionero que era más petiso que un jockey—. ¿Va para Colonia Vela?

Coluccini tenía la costumbre de mover la cabeza para los costados o tal vez era su manera de sacudirse la transpiración.

—Bolivia sin paradas —dijo y de pronto como si se hubiera olvidado de algo, agregó—: l'avventura è finita.

—¿La Paz o Santa Cruz? —preguntó el chofer, que parecía un conocedor.

—Lo que esté más cerca —dijo Coluccini—. ¿Usted iba para allá?

—Ganas no me faltan. El problema es la familia.

Ahí me di cuenta de que me iba a quedar afuera de la conversación. Traté de buscar un punto de referencia en el camino, pero todo era igual: alambrados, vacas, alguno que otro árbol, una nube que flotaba a la deriva.

—¿Dónde queda Colonia Vela? —le pregunté al camionero que se estaba quejando de tener dos hijos en la escuela o algo así. Me señaló el horizonte con un dedo y después le dijo al gordo que tenía un amigo en Bolivia al que le iba muy bien. Eso reanimó la charla y yo bajé a estirar las piernas y a poner la tapa en el tanque de nafta. El eje del Bedford había dejado una marca larga en el pavimento. Era uno de los primeros modelos nacionales, del 58 o el 59, y no podría llegar mucho más lejos. Las duales que se le habían disparado estaban entre unos pajonales, lisas como azulejos. Di una vuelta para mirar la carga, subí por la baranda y sin tironear mucho saqué un par de sandías. Al volver vi que Coluccini golpeaba el volante y trataba de convencer al chofer de que vendiera todo y lo acompañara a Bolivia.

—La carga no es mía —dijo el camionero—. Viene de San Pedro, de un tal Rodríguez.

—¿Y cuánto puede valer? —preguntó Coluccini.

—Fácil diez millones —dijo el otro.

—Y al camión le podemos sacar cinco más —agregó el gordo.

—Por lo menos, pero vamos en cana seguro —dijo el chofer riéndose—. Avise en Colonia Vela para que me manden el auxilio.

—Lo puedo acercar, si quiere. Cuando Rodríguez se entere nosotros ya estamos a dos mil kilómetros de acá.

—¿Y la familia?

—La lleva después, hombre. ¿Sabe lo que falta en Bolivia? Argentinos, faltan. Los pagan a precio de oro, allá.

Ahí se hizo un silencio. El gordo se había quitado los anteojos negros y el otro lo miraba con la boca abierta, plantado bajo el rayo de sol.

—¿Le parece? —dijo al fin—. ¿Y usted a qué se dedica?

—Acá con el amigo Zárate estamos en la informática —explicó y me señaló con un gesto.

Iba a intervenir pero si lo hacía me condenaba a seguir a pie. Coluccini no se bajaba del auto y el otro estaba concentrado en la familia y en el oro de Bolivia.

—No sé, lo tengo que pensar —refunfuñó.

—Está bien —dijo el gordo, decepcionado, y arrancó sin saludar hacia donde había señalado el otro. En cuanto puso la tercera me alcanzó un cuchillo y me pidió que le cortara una tajada de sandía.

Abrimos las ventanillas y fuimos despacio, escupiendo semillas en silencio, hasta que le pregunté quién era Zárate.

—¡Ah, Zárate! —respondió como si le hubiera tocado una vieja herida—. Un socio que tuve y que ahora está en Australia. —Apuntó el pulgar hacia atrás y agregó—: Ese infeliz se va a morir acá.

—¿A quién le iba a vender la mercadería?

—A otro camionero. Los que pasan vacíos llevan plata y hacen negocio con los desgraciados que se quedan en la ruta. Este país está podrido. Finito. Oiga, hace rato que quiero preguntarle: ¿Qué es eso de la informática?

—Programas para que las computadoras hagan lo que uno quiere.

—¿Y usted se piensa salvar con eso? —preguntó, sorprendido.

—No creo. En Europa tenía una buena situación pero se me dio por volver. Y como usted dice, ya es un poco tarde.

—¡No, no se entregue! —gritó, y parecía sincero—. Míreme a mí. Yo soy un viejo rutero, Zárate. En el camino cuando todo parece perdido, siempre queda una última maniobra. Un golpe de volante, un rebaje, algo, pero nunca el freno. Usted toca el freno y está perdido.

—Mi nombre no es Zárate.

—Discúlpeme. Hace tanto que no tengo noticias... anduvimos juntos en la buena y en la mala. Más bien en la mala, bah. Un día Zárate se me presenta y me dice "al carajo con tu circo, yo me voy a Australia". Y se los llevó a todos: a mi mujer, a los chicos, al payaso... Se salvaron todos.

—¿Por qué no lo llevaron a usted?

Ahí le cayó un poco de sombra sobre la cara. Una grisura que venía de los álamos que bordeaban la ruta. Se puso los anteojos y se quedó en silencio hasta que llegamos al cruce de Colonia Vela.

—Que tenga suerte —le dije—. No se meta en líos.

—Pierda cuidado.

Puse la sandía en el bolso, le di la mano y caminé hacia una parada de ómnibus donde había una mujer con dos chicos.

—¡Oiga! —me gritó por la ventanilla—. Si un día va a Bolivia búsqueme por el American Express.

—De acuerdo —le dije y lo miré alejarse. El ruido del Gordini me quedó zumbando un buen rato en los oídos.

El ómnibus que venía de Rauch tardó un cuarto de hora. Pensé que no perdía nada con hablarle al chofer y me peiné lo mejor que pude. Subí detrás de la mujer y los chicos y cuando el tipo me preguntó adónde iba le dije que a la estación pero que no tenía con qué pagarle. Me miró por el espejo y me dijo que me ubicara atrás, del lado del pasillo.

—Si sube el inspector te hago una seña y te bajas —me tuteó. Era un morocho de poco más de veinte años que llevaba un pañuelo al cuello. Le agradecí y fui a sentarme. Casi todos los pasajeros eran peones de las estancias y había un solo tipo vestido de traje que me saludó con ganas de entablar conversación.

El primer negocio grande que pasamos era una concesionaria de tractores. Más allá apareció un taller donde estaban preparando un auto de carrera y luego un supermercado con dos guardianes y una barricada larga en la puerta. Las casas bajas, sin jardín, habían perdido la galanura de otro tiempo. Debía ser la hora del apagón, porque el único semáforo de la avenida principal estaba sin luz. El ómnibus se detuvo dos veces para dejar pasajeros y cuando llegó a la plaza el chofer me hizo señas para que me bajara. Enfrente había un cine cerrado y en la esquina estaban el Banco Provincia y una compañía de seguros. A mi derecha vi la iglesia y al otro lado de la plaza un hotel y un bar abierto.

Tenía hambre y ganas de mojarme la cara. Aproveché que en la plaza había bancos bajo los árboles y fui a sentarme para cortar la sandía. Si hubiera tomado la precaución de recoger una lata vacía me habría hecho un mate frío con la yerba que llevaba en el bolsillo. También necesitaba una cuchara y un poco de papel de diario para prender el fuego. Eché una mirada en el basurero pero no vi nada que me sirviera. Frente a la estatua de San Martín había un monolito y más allá una fuente. Me fijé que no anduviera cerca el cuidador y fui a mojarme la cara. Me molestaba andar sin calzoncillo porque tenía la sensación de estar desnudo. El traje marrón aguantaba bien la mugre del camino pero los zapatos estaban blancos por el polvo y había perdido un botón de la camisa.

Pasé bajo el sable del Libertador y busqué un borde filoso para cortar la sandía. Me acerqué a un monolito que tenía una buena punta de cemento pero entonces leí un nombre y abajo una inscripción que decía "Caído en la guerra por nuestras Islas Malvinas". Como no encontré otra cosa la abrí con la hebilla del cinturón y me tiré a comer sobre el pasto. Me pregunté si Coluccini llegaría al paraíso boliviano o si terminaría en el calabozo de algún pueblo de mala muerte. No estaba seguro de que fuera italiano ni de que hubiera sido dueño de algún circo, pero lamenté que no llevara la misma dirección que yo. Al levantar la vista vi a un cura que atravesaba la plaza en dirección a la iglesia. Iba con la cabeza descubierta pero parecía indiferente al sol. Cruzó la calle y sacó un llavero enorme con el que abrió la puerta mayor. Al rato apareció un coche fúnebre y atrás otros cuatro autos de los que bajaron unos tipos trajeados y dos mujeres con el pelo cubierto. Los hombres sacaron el ataúd y lo metieron en la iglesia. Luego escuché la música de un órgano y más tarde, cuando yo ya había terminado de comer, salieron con el finado para el cementerio. El cortejo se alejó y todo volvió a la calma, como si hubiera toque de queda. Dormité un rato y luego, al ver que nadie pasaba por la calle, me limpié los zapatos en el pasto y fui al bar a preguntar dónde quedaba la estación.

4

El patrón era un gallego que hablaba como si recién hubiera desembarcado. Le gustaba charlar, como a todos los hombres que están al otro lado del mostrador y enseguida se interesó en mi caso. Quiso ver el boleto del tren y se quejó de lo mal que andaba todo antes de darme la noticia de que habían levantado el ramal de Colonia Vela y la estación estaba cerrada desde hacía más de un año.

En días de banco ese debía ser el lugar de reunión de los estancieros y los comerciantes porque no se veían mujeres ni jóvenes. En alguna parte, atrás de la heladera, funcionaba un generador de electricidad que hacía el ruido de una moto. En el fondo había mesas donde los clientes jugaban al mus y al truco y dos billares que quedaban de tiempos mejores. El gallego me preguntó qué iba a tomar y le dije la verdad, que andaba sin un peso.

—Lo que pasa es que en este país nadie quiere trabajar —comentó y se dio vuelta para preparar dos exprés que le había pedido el mozo.

Yo ya había escuchado eso antes. Aspiré el olor del café que llegaba con el vapor de la máquina y como el patrón no me veía me guardé unos terrones de azúcar que había sobre el mostrador.

—No lo digo por usted —agregó el gallego, seguro de que yo seguía allí a la espera de su misericordia—, lo que pasa es que ahora está de moda ser pobre. Vaya a ver a la capilla; la gente no va más a rezar, va a comer gratis. Los chicos no saben más que pedir limosna y a la policía no la dejan hacer nada. No sabe cómo quedó el supermercado, acá. No dejaron ni los escarbadientes.

—¿A usted le parece que podré conseguir trabajo?

—Vea —se dio vuelta con un pocillo en cada mano—, el que no trabaja es porque no quiere.

—¿Y dónde le parece que busque?

—No sé, si camina un poco el campo... ¿Usted tiene familia por acá?

Le comenté que tenía una hija en España pero no se le movió un pelo.

—Está de moda irse —me dijo, y le sirvió un Cinzano con una rodaja de limón a un tipo de bigotes que se acercó al mostrador. Era uno de los que habían cargado al muerto y como se pusieron a charlar entre ellos me di cuenta de que tenía que irme.

—Hay un camionero tirado en la ruta —dije antes de salir—. ¿Puede avisar que le manden un auxilio?

—¿Es de acá? —preguntó el de bigotes.

—¿Qué tiene que ver? Se está cocinando al sol.

—De los camiones se ocupan en lo de Castelnuovo —dijo y me mostró la boca llena de maníes y papas fritas.

Pregunté dónde quedaba lo de Castelnuovo y crucé la plaza. Anduve un par de cuadras por la sombra hasta que encontré la avenida por la que había entrado con el ómnibus. Más adelante pasé por el club Unión y Progreso, que era apenas un boliche con una cancha de fútbol. Allí me dijeron que tenía que seguir derecho hasta llegar a una farmacia y luego doblar a la izquierda siguiendo la acequia. En una esquina encontré tirada una lata de cerveza pero no me servía porque era de las que se abren de un tirón y no dejan suficiente lugar para meter una cuchara. Igual no tenía la cuchara así que le di una patada y seguí caminando hasta que encontré la calle de tierra.

Castelnuovo tenía un tallercito y un terreno donde debían parar los camiones que estaban de paso. Golpeé las manos y por un instante me imaginé gritando "Ave María purísima". Debo haber sonreído pero en realidad estaba de mal humor. Eché un vistazo por los alrededores de la casa hasta que un perro atorrante salió a chumbearme y tuve que retroceder hasta la vereda. Al rato apareció una mujer como de cuarenta años, que acababa de despertarse y me preguntó qué quería. El perro se quedó a su lado, ladrando y moviendo la cola. Le grité que en la ruta alguien necesitaba los servicios de Castelnuovo y ella me respondió también a los gritos que Castelnuovo estaba muerto y que los camioneros eran unos ingratos hijos de puta. Me quedé sin saber qué contestarle, abrí los brazos y miré a los costados para ver si no nos estaba mirando algún vecino. Para sacarme el asunto de encima le avisé que era un Bedford cargado con sandías, que estaba a unos pocos kilómetros por la ruta y ella quiso saber dónde había dejado yo mi camión. Le dije que no tenía pero como estaba harto de charlar a la distancia le di las buenas tardes. No bien me volví escuché un grito y la atropellada. Traté de hacerme a un lado, pero igual el perro alcanzó a clavarme los dientes atrás del tobillo y siguió la carrera, furioso, ladrándole a los árboles, mientras la mujer le gritaba "quieto Moro", sin moverse de la puerta de la casa. En el momento lo que más me inquietó fue el pantalón roto. Ahora sí me parecía a un croto cualquiera y no podría presentarme en ninguna parte. Me sentía ridículo, y en lugar de agacharme a ver la herida me pregunté qué hacía allí parado, metido en la vida de los camioneros, mordido por un perro de morondanga en un pueblo desconocido mientras mi hija me escribía cartas a un poste restante al que tal vez nunca llegaría. Desanduve la calle rengueando entre terrenos baldíos, a la sombra de los álamos que bordeaban la acequia. El perro corría como loco, levantando polvo, y pasó de nuevo a mi lado antes de entrar a la casa. La viuda de Castelnuovo le debe de haber pegado con algo duro porque el animal gritó y luego volvió el silencio. Me senté en el cordón de la vereda y saqué el pañuelo para limpiarme la lastimadura. No era gran cosa: me había agarrado de refilón con un solo colmillo, pero casi no sangraba. Un chico que pasaba con una pelota se paró a mirarme. Le sonreí, pero me di cuenta de que me había puesto colorado.

—¿Está cansado, señor? —me preguntó e hizo picar la pelota contra el suelo.

Le contesté que sí pero como no quería asustarlo me puse de pie enseguida y le dije que no era nada. La pelota que tenía el pibe era de un plástico que imitaba los gajos de las de cuero. De chico yo había tenido una de goma que picaba mejor, aunque todas eran igual de irresistibles. Cuando la tiró contra la pared y vino para mi lado la levanté con la punta del zapato y se la devolví de cabeza. Entonces sentí que me dolía el tobillo y crucé la calle a los saltos. El chico me preguntó si me había lesionado en la jugada y eso me hizo reír de buena gana.

Fuimos caminando juntos, el pibe silbando y yo tratando de andar derecho. Le pregunté dónde vivía y me respondió que más allá, cerca del frigorífico. Luego me contó que se llamaba Manuel y que jugaba de nueve en las infantiles de Unión y Progreso. Tendría once o doce años y manejaba bastante bien la pelota; mientras caminábamos la hacía bailar sobre la cabeza y la bajaba por la espalda como si la llevara atada al cuerpo.

—¿Usted siempre fue rengo? —me preguntó al fin con tono respetuoso.

Le conté lo que me había pasado con el perro y me pidió que le mostrara la lastimadura.

—A la pucha, la pierna se le está poniendo azul —dijo—. ¿Vive lejos?

—Estoy de paso.

—Venga al club que le pongan una venda. Es acá nomás.

Poco a poco la calle empezaba a recobrar un poco de vida. Eran casi las cinco de la tarde y se veían paisanos en bicicleta, camionetas con peones que se preparaban para el baile y algunos coches siempre manejados por hombres. En la esquina del supermercado había un policía a la sombra que tenía un pucho entre los labios y de vez en cuando saludaba a algún conocido. Antes de pasar frente al vigilante el chico cruzó a la otra vereda tironeándome del saco.

—Acá lo llevaron preso a mi papá —me dijo y agregó con cierto orgullo—: Hay una foto de él en la vidriera.

Seguimos en silencio hasta que llegamos al club. Era una cancha pelada, casi sin marcas, con el alambrado roto y unos vestuarios de madera. Adentro ya estaban peloteando unos cuantos pibes en zapatillas, dirigidos por un tipo barrigón que llevaba una gorra con los colores de San Lorenzo. El chico me dejó la pelota y fue corriendo a buscarlo. Todo me parecía lejano, como si le ocurriera a otro o como si lo viera en una película. El entrenador vino a verme y me dejé hacer sin dar demasiadas explicaciones. Fuimos al vestuario y me hizo acostar en una mesa mientras los chicos se amontonaban para ver lo que pasaba.

—Yo que usted me haría poner la vacuna —me dijo mientras me limpiaba con alcohol. Después me colocó una venda bien apretada y me convenció de que me quedara a descansar hasta después del partido.

Una vez que me dejaron solo hice una almohada con la toalla y me dormí enseguida. Desperté a las dos horas, cuando los chicos vinieron a cambiarse. El entrenador les ordenó que se dieran una ducha y avisó que los que iban a cenar en la capilla lo esperaran al lado de la camioneta. En cuanto se fueron me preguntó si me sentía mejor y sin andarse con vueltas quiso saber cuánto tiempo llevaba sin comer.

—No sé —le dije—. Bastante.

—Venga —dijo—, el curita le va a dar un plato de sopa.

Subí a la camioneta con los pibes, y como me hacían tantas preguntas sobre de dónde venía y adónde iba, les dije que en mi tiempo yo había sido arquero de Banfield. Al principio no me creyeron, pero cuando el chico que me había acompañado les contó que yo movía muy bien la pelota se interesaron en los detalles y uno de ellos me preguntó cuántos penales había atajado en mi vida.

5

La capilla era de ladrillos pelados y todavía no estaba terminada. Quedaba al otro lado de la estación, cerca de un barrio de casas de adobe. Todavía no era de noche pero en la puerta ya había mucha gente haciendo cola. El entrenador estacionó la camioneta en un potrero y los chicos se repartieron tenedores y cucharas que sacaron de un baúl.

—Llévese los cubiertos y después se los deja a cualquiera de los pibes —me dijo.

Le di las gracias y me puse en la cola. Ni siquiera pensaba en lo que hacía. Unos muchachos preparaban mesas en el patio, cerca de un fogón y el cura que estaba en mangas de camisa ayudaba a arrimar una canasta con pan. Esperé media hora apoyándome en la pierna sana hasta que un morocho grandote que contaba los comensales por docena gritó que podíamos pasar. Yo hice como los demás; agarré un pan, me serví caldo en un jarro y unas verduras en el plato. La mesa que me tocó se movía bastante y un tipo flaco, en camiseta, me dijo que la trabara con un cascote porque no podía pescar las pocas zanahorias que bailaban en el plato.

La gente hablaba poco y se lanzaba miradas furtivas. Comí despacio para no quemarme la lengua y me pregunté si habrían ido a buscar al camionero. De pronto alguien gritó que le habían robado el pan y hubo una trifulca en la que también intervino el cura. El patio estaba iluminado con faroles a gas alrededor de los que volaban moscardones y bichos de luz. El tipo en camiseta me contó que venía de Catamarca y me preguntó si yo también bajaba para Río Turbio. Le dije que iba a Neuquén y se sorprendió un poco pero después hizo un gesto ambiguo, como diciendo "son cosas suyas" y fue a ver si podía servirse más.

Entre las verduras encontré un pedazo de chorizo y eso les causó un poco de gracia y de envidia a los otros. No lo podía compartir porque no daba más que para un bocado y lo estuve saboreando junto a la última papa. Luego todos nos levantamos para lavar los platos e ir a rezar a la capilla. Yo no recordaba ninguna oración pero el cura nos bendijo y nos encomendó a Dios sin hacer sermones. A la salida les devolví los cubiertos a los chicos y me fui a echar un vistazo a la estación abandonada.

Alguna vez debió de ser un lindo edificio, con columnas de hierro forjado y marquesinas labradas. Ahora no quedaba más que el piso sucio donde dormían algunos linyeras y gente de paso. En el andén habían arrancado los bancos y ni siquiera dejaron la campana. Sobre la pared leí una pintada en la que trataban al cura de zurdo. Entre las vías crecían plantas altas y desgarbadas que un día iban a taparlo todo. Me senté en el suelo, abrí el bolso para ver si la sandía estaba buena todavía y comí el último pedazo. Había cenado algo caliente por primera vez en muchos días y me dije que mañana encontraría otra cosa. Después prendí un cigarrillo pero me di cuenta de que era el único que fumaba y lo apagué para no despertar envidia. La herida me molestaba un poco pero la venda se sostenía bien. Todavía no sabía si podía caminar un trecho largo, aunque necesitaba alejarme de allí. Era noche de luna llena y los rieles se veían bien. Fui hasta el fondo del andén, bajé unos escalones y salté sobre los durmientes. La pierna me respondía, así que volví a encender el cigarrillo y empecé a salir de Colonia Vela. Pensé en la viuda de Castelnuovo y su odio por los camioneros y me puse a sospechar que el tipo del bar se había burlado de mí mandándome a verla. Me vinieron a la mente sus bigotes recortados y la manera en que hablaba con la boca llena pero pensé en otra cosa porque no quería cargarme de rencores inútiles.

En el primer paso a nivel que divisé había un auto parado con las luces de posición encendidas y apuré el paso para pedirle que me llevara. A medida que me acercaba escuché una conversación en la que un hombre de cierta edad se negaba a despedirse de una mujer más joven que tenía compromiso con otro. A la luz de la cabina alcancé a vislumbrar el cabello gris del hombre y para no molestarlos me quedé escondido en el terraplén. Ella le rogaba que no volviera pero él insistía en verla aunque más no fuera en la misa, de lejos. Se conformaba con una sonrisa y un gesto lejano. Le oí decir eso y temí por él. Iba a alejarme pero tenía necesidad de compañía y me quedé agachado atrás del matorral. Cada una de las cosas que decían eran sacadas de una telenovela pero a mí me sonaban ciertas porque iban acompañadas de gestos y dolores irrepetibles. Ninguna de las palabras quería herir pero dichas así, por última vez, al borde de una vía desolada, no iban a ser fáciles de olvidar. Al cabo de un instante de silencio levanté la cabeza y vi la cara del tipo, quebrada por la ansiedad. Un mechón de pelo acerado le caía sobre la frente y el brillo de sus ojos me impresionó como si yo también estuviera dentro del coche. Ella tardó una eternidad en decir "no" y un cigarrillo recién prendido voló a través de la ventanilla. El hombre seguía rogándole pero la puerta se abrió del todo y unos tacos muy altos se hundieron en el polvo. Me dije que nunca más iba a poder ponerse esos zapatos: la vi andar hacia un bosquecito donde esperaba otro auto disimulado entre los arbustos. Era redonda pero caminaba con determinación mientras guardaba el pañuelo en la cartera. No quería que la siguiera y él no la siguió; sacó el auto sin prender las luces, giró hacia el lado del pueblo y se alejó. Tal vez hacían lo mismo todas las noches o quizá fuera de verdad el último adiós. El tipo se quedó agarrado al volante, inmóvil, como hipnotizado. Bajé al camino y recogí el cigarrillo que estaba en el suelo, consumido hasta la mitad. Volví a mirarlo. Tenía una cara lisa, insípida, de esas que se olvidan enseguida. Dejó caer la cabeza contra el vidrio y estuvo un rato así, pensativo o adormecido. Al fin escuché un ruido y me pareció que se estaba sirviendo una copa. Levanté el bolso y crucé al otro lado del camino para que tuviera tiempo de verme llegar. En ese momento advertí que el coche era un Jaguar flamante y tenía una goma pinchada. De golpe sentí la curiosidad de saber si la fea suerte de ese tipo podría de alguna manera cambiar la mía.

Al verme puso en marcha el motor y encendió las luces largas pero yo le señalé la rueda y fui a su encuentro tratando de no renguear. En el bolsillo llevaba el último cigarrillo que ella había fumado a su lado.

6

Me escuchó con ojos cansados y una mueca de incredulidad pero parecía convencido de que esa noche le podía pasar cualquier cosa. Tenía un vaso en la mano y la botella sobre el asiento donde había estado la mujer. El auto regulaba con más seguridad que el de Coluccini y con todas las provisiones que llevaba en la parte de atrás yo podría haber sobrevivido un año. Me detuve a dos metros de la ventanilla y me ofrecí a cambiarle la rueda si me sacaba de allí. Como no reaccionaba le alcancé la cédula pero no hizo ademán de agarrarla. En esa cara se podían haber puesto bigotes, una barba o un par de anteojos colorados y lo mismo siempre sería fugaz para los otros. Tomó un buen trago y después se secó los labios con el pañuelo que asomaba del bolsillo del saco.

—Usted no es de... —me preguntó y buscó con la vista algún cartel que le recordara el nombre del pueblo.

—No. Pasaba nomás.

Se sirvió otro whisky y abrió una barra de chocolate de etiqueta suiza o italiana.

—Vamos a tener que cambiar la rueda —le dije.

—¿Es tan necesario?

Me dio la sensación de que las cosas de este mundo lo desconcertaban bastante.

—Debe de haber agarrado un clavo.

—¿Y si vamos a algún lado a que se ocupen de eso?

—Así no se puede andar —insistí—, va a destrozar la cubierta.

Eso lo contrarió más todavía. El motor seguía en marcha pero él no le prestaba más atención que a los mugidos de las vacas. Terminó el chocolate, volvió a pasarse el pañuelo por los labios y al fin se acordó de mí.

—No quisiera molestarlo —dijo.

Esperé un rato a que se bajara pero seguía ensimismado. Tal vez estaba con ella o se conformaba con mirarla de lejos. Empezaba a ponerme nervioso y le dije que abriera el baúl o me dejara hacerlo a mí. Recién entonces paró el motor y me pasó un llavero de cuero. Junto a la rueda de auxilio encontré una linterna y el crique y me puse a trabajar sentado en el suelo. Iba por la tercera tuerca cuando vino a enterarse de lo que estaba haciendo. Traía dos vasos y una botella de Etiqueta Negra.

—Un trago nos va a venir bien —dijo.

Me sirvió una buena medida y después se apoyó en el coche. El crique vaciló un momento pero al fin volvió a su lugar.

—¿Trabaja de mecánico? —me preguntó mientras miraba alrededor, como si esperara una aparición.

—No —le dije—. Cualquiera puede hacerlo.

—Cualquiera... No sé dónde escuché lo mismo —dijo, aunque pensaba en otra cosa. Llevaba un traje gris a rayas discretas que debía costar una fortuna. Me pregunté dónde habría conocido a la mujer y si valía la pena haber manejado hasta allí para verla. La patente del coche era amarilla y antes del número tenía las letras RJ.

—¿Usted ya cenó? —me preguntó y se sirvió otro vaso.

—Un poco, sí. —Sostuve la rueda con las piernas y ajusté las tuercas. El me miraba hacer con cara culposa. Esperó a que terminara y me invitó a sentarme a su lado. Se acomodó la corbata, me pasó la botella y enderezó un poco el retrovisor.

—¿Dónde estamos? —se interesó y echó un vistazo a un papel arrugado en el que una mano de mujer había dibujado una ruta y el paso a nivel.

—Esto se llama Colonia Vela —le informé—. Estamos a dos mil kilómetros de Río de Janeiro.

Me miró alarmado, como si me hubiera sorprendido revolviendo sus papeles.

—Es que me gusta manejar —dijo y puso en marcha el motor—. Una vez estuve en Alaska y después aparecí en Kuala Lumpur. No me acuerdo de haber subido nunca a un barco.

—¿Cómo volvió?

—No recuerdo. Tengo un hueco acá —se tocó la frente—. Me faltan diez años.

Entramos en un camino de tierra sin hablar más. Prendí un cigarrillo y con la llama del fósforo vi que al lado del freno de mano tenía un revólver de caño corto. En el piso había un poco de todo: aspirinas, crema de afeitar, varias botellas de cerveza, cartones de Winston y antes de que la luz se consumiera vi un estuche de terciopelo abierto y un ramo de violetas. En una tarjeta prendida con una cinta roja alcancé a leer "Con todo el amor de Lem", o algo así.

—La ruta queda para el otro lado —le dije para mortificarlo un poco.

—¿Le parece? —se sobresaltó e hizo una maniobra para girar en redondo. El Jaguar levantó una polvareda y encaró por un huellón estrecho. Saltaba bastante aunque adentro casi no se notaba. Por lo que vi en el tablero me di cuenta de que pronto iba a necesitar combustible.

—¿Va para el sur? —le pregunté.

—¿Más al sur? ¿A qué?

—No sé, pensé que iría a Bariloche y se había perdido por acá.

—Bariloche no es para mí —respondió. Miraba el camino pero ante los pozos siempre reaccionaba tarde.

—Disculpe —le dije—. No quise ser indiscreto.

—No se preocupe. Me dijeron que había un casino por acá y me dieron ganas de conocerlo.

—¿Por acá?

—No sé, un lugar donde no tienen anotados a los que aciertan siempre.

—¿Esto lo ganó así? —hice un gesto que abarcaba el coche y todo lo que llevaba adentro.

—No, no... La ruleta es inmanejable. Habría que llevar una computadora para ganarle.

—Tampoco sirve —le dije—, se necesitarían los datos de todo un año para intentarlo.

Abrió la guantera para guardar el revólver y me alcanzó un cuaderno rojo muy manoseado. Estaba lleno de números, horas y fechas. Al 17 y al 21 los había marcado con un círculo en tinta verde.

—Cálculo de probabilidades —le dije—. Hay montones de libros sobre el tema. El problema está en la variación de los cilindros. Si los cambian de una mesa a otra es imposible.

Me miró con interés. Todavía estaba apenado pero ahora tenía otra cosa en qué pensar.

—Suponga que están marcados. Que uno sepa cuál es de una mesa y cuál de otra.

—Si los hacen rotar seguido todas las mesas corresponden a todos los cilindros.

—¡Oiga, usted es un experto! —se sorprendió—. ¿Qué le pasa que anda tan rotoso?

Le conté la historia del tren y algún detalle de lo que vino después pero lo único que le interesó fue saber si de verdad yo era ingeniero en informática.

—No llevo el diploma encima pero algo sé. Trabajé un tiempo en Francia y en Italia.

—De acuerdo. ¿Qué le parece si vamos a cenar?

—¿Adónde?

—No sé. Fíjese en el mapa.

Encendí la luz y busqué algo que se pareciera a un pueblo. El coche seguía a los saltos y cada vez nos alejábamos más del asfalto. Al rato vi un cartel de madera tirado en el suelo que decía "Triunvirato, 5 kilómetros" y miré el reloj. Faltaba poco para medianoche.

—No creo que nos sirvan a esta hora pero habría que hacer arreglar la goma, no vaya a ser que...

—Oiga, no puedo tener tanta mala suerte —dijo y se quedó pensando un momento. Eso debe haberle hecho cambiar de opinión y frenó al borde del camino—. Sí, tiene razón. Hoy me salen todos los números malos.

7

Triunvirato tenía una sola calle y una plaza idéntica a la de Colonia Vela. Había un farol encendido a la entrada y eso era todo. Frente al banco vimos una pensión y Lem se detuvo a pedir una pieza. Yo le propuse que durmiéramos en el auto pero me contestó que ya estaba demasiado viejo para eso y fue a golpear la puerta. Al rato salió un tipo poniéndose los pantalones, bastante agitado, y nos dijo que le quedaba una sola habitación disponible. Aproveché para preguntarle dónde había una gomería y me señaló un galpón con techo a dos aguas, al otro lado de la plaza.

—Llévelo usted —me pidió Lem—, yo tengo que hacer una llamada.

Puse en marcha el Jaguar y fui rodeando la plaza. Paré frente al taller y toqué la bocina unas cuantas veces, hasta que salió un muchacho con el torso desnudo que estaba jugando a las barajas con unos amigos. Le pedí que arreglara la goma y guardara el auto hasta la mañana. Tardó mucho en reponerse de la sorpresa; me dijo que nunca había visto un coche así y le pasó la mano por encima como si acariciara a su novia. Esperé a que abriera el portón y yo mismo lo estacioné frente al tablero de las herramientas. Saqué el revólver de la guantera, lo puse en mi bolso y encendí la luz para echar una mirada al resto. Los documentos del coche eran del estado de New Jersey y estaban a nombre de Lemmond Stanislas Cohen. Sobre el asiento de atrás había muchos trajes sin estrenar, latas de cerveza, café instantáneo, varias novelas de Simenon en francés y todo lo necesario para atravesar el desierto. Recogí el cuaderno, unos paquetes de cigarrillos, una tableta de chocolate y los puse también en el bolso. Después saqué la goma pinchada del baúl, cerré las puertas y me guardé las llaves. Saludé a los cuatro chicos que se habían acercado a admirar el Jaguar y volví a la calle. Toda la comisaría estaba allí en un Falcon viejo pero no me hicieron preguntas. Esperaban a que me fuera y no les iba a gustar nada encontrar el coche cerrado.

Atravesé la plaza despacio, mirando las casas grises que debían tener largos patios con quinta. A lo lejos vi pasar a un borracho a caballo reventando botellas contra las paredes. El ruido me dio un miedo estúpido, casi infantil, y me oculté detrás de un árbol. El paisano gritaba "¡se terminó el comunismo, carajo!", y se reía mientras bajaba por la única calle hacia el campo. La policía no se movió del taller donde la luz seguía prendida. Cuando volvió el silencio crucé la calle y me metí en el corredor de la pensión.

Lem se había instalado en una de las piezas que daban a un patio cuadrado, de baldosas. En la oscuridad me llevé por delante una maceta y antes de entrar toqué a la puerta y pedí permiso. Dependía de ese hombre extraño al que no conocía, que había salido de la nada. Al entrar lo encontré paseándose con un vaso de whisky en una mano y un cigarrillo en la otra. Estaba en calzoncillos pero se había olvidado de quitarse el saco y eso le daba un aire ridículo y un poco desolado.

—No hay teléfono en esta pocilga —me anunció con un gesto de disgusto y miró el techo descascarado y manchado por el humo de veinte o treinta años de tabaco. El revoque de las paredes era desparejo y entre los ladrillos asomaban unos yuyos enanos. Por debajo de la puerta pasaba una larga fila de hormigas que transportaban restos de hojas y algún pétalo caído de las macetas del patio. La ventana estaba abierta pero igual se sentía el olor rancio de los colchones.

—Por lo menos tiene techo —le dije.

—¿Qué le parece si vamos a cenar? Estoy harto de comer porquerías.

—¿Cenar? Dónde se cree que estamos, ¿en Copacabana?

—Tiene que haber un restaurante. Un lugar donde se pueda pedir una hamburguesa.

—Ni restaurante ni casino. Olvídelo.

Se entristeció como si fuera yo el que lo decepcionara. No tendría más de cincuenta años pero el pelo se le había secado como esos arbustos que languidecen al borde de la ruta. Llevaba zoquetes de lana y unos zapatos que hacían juego con el auto.

—¿Hielo habrá?

—¿No le preguntó al dueño?

—El hombre tenía sueño y no lo quise molestar.

Me senté en una de las camas y el ruido de los elásticos me sonó a música. Me quité el saco pero como no tenía calzoncillo tuve que dejarme el pantalón puesto. Las sábanas eran celestes y estaban casi limpias.

—Traje un poco de chocolate del coche —le dije y señalé el bolso.

Hizo una mueca de cansancio, se pasó el pañuelo por la boca e insistió con delicadeza:

—¿No quiere que caminemos un poco? En una de ésas hay algo abierto.

—Ya fui a mirar y está todo cerrado.

—Usted se da por vencido enseguida, ¿eh? Con su permiso... —señaló el bolso que estaba sobre la mesa.

—Faltaba más —le respondí y lo miré buscar entre mis trastos hasta que encontró el cuaderno y se le iluminaron los ojos. Lo puso sobre la mesa de luz, abrió el chocolate y me alcanzó mi parte. Al revólver no lo vio o no le dio importancia.

—De esto quería hablarle —me mostró el cuaderno y se sentó en la otra cama. Hizo una pausa como para empezar a explicarme y de golpe se dispersó. Fijó la mirada en la venda que yo llevaba en la pierna y me preguntó si había tenido problemas con la policía.

—No que yo sepa —le dije.

—¿Es cierto lo que me dijo hace un rato?

—¿Qué? —le pregunté, aunque lo veía venir.

—Que usted sabe de computadoras.

—Ya le dije que no sirve. Todo el mundo lo intentó y no hay caso, no funciona.

—Usted es un pesimista, se le ve en la cara.

—Conozco el tema, eso es todo.

—Un pesimista incurable —dijo para sí mismo y se acomodó el pelo—. ¿Se puede saber qué le pasó en la pierna?

—Me mordió un perro.

—¡Ahora entiendo! Eso lo deprime a uno... Fíjese que yo no pido mucho. Tengo un salto acá —señaló una página del cuaderno— y necesito acercarme un poco. Sólo que no me da la cabeza para los números. Ya estoy viejo.

—Eso ya me lo dijo. ¿Qué le parece si dormimos?

—Perdóneme, no quería molestar.

Al acostarse advirtió que tenía el saco puesto y se levantó para quitárselo. No había ropero y después de dudar un momento lo colgó en el respaldo de la silla, encima del mío.

—Podía haberse escapado con el auto —comentó al pasar, mientras se metía en la cama.

—¿Le parece que hubiera llegado lejos?

—¿Por qué no? Yo llegué hasta Alaska.

Se quedó callado con la mirada puesta en el cielo raso y se olvidó de mí y de apagar la luz. Me levanté, me saqué la venda y fui a lavarme la herida que se había hinchado bastante. Mientras me secaba busqué en el bolsillo de mi saco. Lem seguía ausente y allí donde había ido la estaba pasando mal. Encontré el cigarrillo a medio fumar, marcado de rouge, y se lo dejé en la mesa de luz junto al reloj. Me acosté sin hacer ruido, apagué el velador y me dormí enseguida.

8

Todavía no eran las seis cuando me sobresalté con los mugidos de unas vacas que pasaban cerca. Sentí el mismo miedo que cuando dormía en el campo y soñaba que se me venían encima para pisotearme. A esa hora Lem todavía estaba en su cama pero cuando me levanté, a las nueve y media, ya se había ido. No quedaba ningún rastro de él: ni la llave del coche, ni la botella de whisky, ni el cigarrillo manchado de rouge. Sólo la cama deshecha sobre la que caminaba una langosta oscura y flaca. Revisé el bolso y tampoco encontré el revólver. Rogué al cielo que hubiera pagado la cuenta de la pensión y me lavé a la apurada con el jabón reseco y sucio.

Dejé el bolso en la pieza y cuando salía por el pasillo me encontré con el dueño que vestía una bombacha negra. El tipo quiso saber si habíamos dormido bien y me pidió la cédula para inscribirme en el libro de pasajeros. Me dijo que Lem había salido temprano encargándole que me diera el vuelto de la cuenta. Guardé la plata sin contarla y fui a conocer el bar de la esquina. En la vereda quedaban unas pocas baldosas cubiertas de abrojos secos que se me agarraban al pantalón. El boliche tenía un mostrador largo y algunas mesas donde se jugaba a las barajas y a los dados. En el fondo vi una parrilla y también una sala reservada. Desde el lugar donde me senté podía leer un cartel con el fixture de un campeonato de truco y otro que anunciaba la visita de la licenciada Nadia, vidente y astróloga.

Pedí un café con leche y averigüé con qué podía acompañarlo. Me trajeron una galleta de campo sobre la que puse bastante manteca y dulce de leche. Calculé que con la pila de billetes que tenía en el bolsillo me alcanzaría para un buen desayuno. Repetí el café con leche mientras los clientes acodados en el mostrador me miraban de reojo. La pierna me respondía y me dije que Lem se portó como un caballero aunque yo lo hubiera decepcionado. Ahora podía caminar de nuevo o quedarme allí y esperar otro auto. A través del vidrio vi pasar un Rastrojero en el que llevaban un chancho atado y después un Dodge Polara sin capota. Al otro lado de la plaza había una oficina con la bandera y supuse que sería la municipalidad o la oficina del correo. El Falcon de la policía estaba estacionado a la sombra de unos árboles. Un chico que salió del reservado se ofreció a lustrarme los zapatos y me preguntó si yo conocía el Italpark y si era cierto que en Buenos Aires la gente se había comido a los animales del zoológico. Empecé a reírme pero me dijo que lo dio la radio y decidí creerle para que no insistiera. Toda la clientela me miraba y empezaba a sentirme molesto. En la esquina de la plaza tenían un monolito alto, parecido al de Colonia Vela y le pregunté al chico si sabía algo del soldado.

—Era curtidor en El Remanso —me contó, orgulloso, como si ese fuera el lugar más famoso del país.

—¿Hay un cuartel por aquí?

—No. Los de Triunvirato hacemos la conscripción en Tandil. A mí me faltan... —contó los años con los dedos y llegó hasta siete. Le costaba mucho pronunciar la palabra "conscripción" y la cambió por "servicio" para seguir la conversación. Al fin, y creo que se me había acercado sólo para eso, quiso saber a qué me dedicaba. Le dije que era visitador médico pero enseguida me arrepentí porque en la mirada le adiviné que allí no conocían eso.

—Voy para Tandil —corregí y le di una propina.

En ese momento descubrí que tenía más plata de la que creía. Llamé al patrón, le pagué y me dije que haría bien en cambiar de pantalón. De paso me compraría un par de calzoncillos y unas alpargatas para caminar más cómodo. Un tipo muy rubio y sudado que entró al bar con un perro ovejero gritó que a la noche iba a llover pero la noticia no le hizo dejar el vaso de tinto a nadie. Las conversaciones eran como un rumor uniforme del que cada tanto se despegaba una risotada. Me levanté despacio para no llamar la atención y salí a la vereda. Recién entonces vi las primeras mujeres que pasaban con las compras. Fui hasta donde estaba la bandera y me detuve un momento frente a la oficina; mucha gente empezaba a agruparse en silencio a esperar que les dieran algo de comer. Los que llegaban eran viejos vestidos con la mejor ropa y peones de campo que obedecían a todo lo que les mandaba una empleada. Le pregunté por un señor de traje que podía haber venido a hablar por teléfono. Primero me dijo que no pero insistí y me respondió que tal vez, que en una de esas el hombre estuvo allí mientras ella atendía a los que llevaban el correo. Igual, me advirtió, el teléfono no funcionaba porque las líneas se resecaban con el calor, o algo así. Como me miraba feo traté de averiguar dónde podía encontrar una tienda y un peón me indicó que caminara hasta la otra cuadra. Salí, pasé frente a la comisaría que era un caserón con barrotes en las ventanas y crucé hasta el taller donde había dejado el Jaguar.

Dos muchachos que parecían hermanos estaban trabajando en un motor que colgaba de dos cadenas. El pibe que me había atendido a la noche se puso de pie, fue hasta la mesa de herramientas y me alcanzó un sobre arrugado.

—El otro señor dejó esto para usted.

—¿A qué hora vino?

—Cuando abrimos ya estaba esperando.

—¿No dejó algo dicho?

—No. El sobre, nada más.

En la calle lo abrí y encontré el cuaderno de tapas rojas con una tarjeta en la que estaba grabado el nombre de Lem. "¿Por qué no lo intenta?", decía con una letra temblorosa, quizá porque la había escrito de pie. En el dorso había puesto "hágame seña", y nada más.

Caminé hasta la tienda sin sacarle el ojo de encima a los perros que andaban en grupos, como si buscaran de comer. Tenía la sensación de que allí había ocurrido un terremoto nocturno e invisible, algo que se hubiera tragado el alma de la gente. Quizá empezaba a sentirme solo otra vez y nada más, pero no podía apartar la impresión de que se preparaba algo que lo cambiaría todo.

En la tienda no tenían mucho surtido. Encontré un par de calzoncillos blancos a mi medida y elegí un pantalón de grafa al que tenían que hacerle el dobladillo. También me compré dos camisas de esas que no necesitan planchado pero cuando quise pagar el dueño me dijo que volviera a la tarde porque los precios cambiaban tanto que no sabía a cuánto me las tenía que vender. Al menos pude llevarme los calzoncillos y volví a la pensión antes de que cerraran para dormir la siesta. Le avisé al dueño que iba a quedarme una noche más y me dijo que sí siempre que no tuviera pretensiones, porque la habitación que dejamos nosotros se la acababa de alquilar a una señora que adivinaba la suerte. La que le quedaba libre, me avisó, era más barata porque le habían robado los vidrios de la ventana.

9

Llevé la mesa frente a la ventana y me puse a estudiar el cuaderno de Lem. La letra era más suelta que la de la tarjeta. A veces deslizaba un comentario indescifrable pero alguien había hecho un trabajo colosal de seguimiento de números a lo largo de un año. Enseguida descubrí que se daba contra la pared cuando la bola, al cabo de un ciclo irregular en las dos primeras docenas, caía de golpe en la última.

Leí con atención hasta que me pareció descubrir una cierta lógica en la reaparición del 17 después del cambio de tambores. Algo parecido ocurría con el 21, que salía varias veces en un lapso breve y luego desaparecía. Si hubiera podido consultar algunos libros habría sido más fácil pero igual no tenía otra cosa que hacer y la idea de refrescarme la memoria con el álgebra me reconfortaba un poco. Fui a pedirle una lapicera y un café al dueño de la pensión antes de que se acostara. El tipo me devolvió la cédula y me preguntó si quería un turno con la señora Nadia, que empezaba a atender después de la siesta. Le dije que no y le pedí permiso para hacerme un Nescafé. En la cocina encontré a su mujer que me comentó, con un acento difícil de ubicar, la elegancia del joven rubio que había venido conmigo. Le dije que Lem era un hombre maduro, con el pelo gris, pero para ella seguía siendo tan rubio como Robert Redford. Yo quería volver a mis cálculos así que le di la razón sin discutir y le pedí unas galletitas para acompañar el café.

Volví a la pieza, arranqué unas hojas en blanco del cuaderno y me instalé a la luz de la ventana. El que se robó los vidrios había hecho un trabajo impecable con un cortaplumas, separando la masilla seca. Me lo imaginé subido a la cama al amanecer, retirando las dos placas y cuidando de no tajearse los dedos. No valdrían gran cosa pero el tipo se debe haber dicho que era mejor eso que nada.

Durante un par de horas me olvidé de todo. Escribía de memoria, con la misma aplicación que cuando trabajaba en el instituto. Sólo que me faltaba la computadora y en algún momento la iba a necesitar para hacer funcionar el programa. Cada vez que levantaba la vista veía llegar más gente. A las cuatro de la tarde todo el pueblo estaba allí, incluidos los hermanos del taller y unos cuantos paisanos que había visto en el bar. Todos querían saber qué les deparaba el futuro. La vidente trabajaba a puerta cerrada, justo enfrente de mi habitación, de modo que cuando salía un cliente y entraba otro, alcanzaba a entreverla sentada detrás de una mesa grande que le había prestado el dueño de la pensión. Al caer la tarde, cuando fui a la tienda a buscar el pantalón, llegó el auto de la policía y la esperó en la puerta hasta que ella salió con una cartera y dejó a todo el mundo de plantón hasta las siete. En todo ese tiempo nadie se movió de su lugar. Era una reunión de vecinos en la que había más mujeres que hombres, y todos llevaban algo para darle: pollos, tortas, morcillas, salamines y otras cosas que no supe para qué podían servir. En cierto momento, mientras la vidente no estaba, entró a recitar un guitarrero pero no consiguió atraer la atención y se fue enseguida. Más tarde sacaron a un borracho rezongón que venía a reclamar una promesa incumplida. Al principio se acercaban a mi ventana con disimulo, pero después venían en grupos, como si les divirtiera verme trabajar sobre un papel. Uno se atrevió incluso a pedirme un cigarrillo pero después eran tantos que tuve que esconder el paquete. Yo estaba peleándome con el álgebra cuando la licenciada Nadia regresó con un gran paquete que olía a lechón adobado y la atención volvió a la otra pieza. La cola se rehízo sin discusiones y a la hora de cenar sólo quedaban esperando tres o cuatro mujeres. Casi todos habían salido sonrientes salvo dos chicas jóvenes que se fueron llorando sin hacer escándalo. La licenciada no había ganado mucha plata pero se iba a llevar el auto repleto de provisiones. Por un instante pensé en Coluccini, que debía estar cada vez más cerca de su sueño boliviano si el Gordini le respondía. Miré las hojas llenas de números y me dije que a la mañana bien temprano seguiría mi camino. Lem me había encargado que le hiciera seña pero no me había dicho dónde ni cómo de modo que no sentía que tuviera un compromiso especial con él.

Atendido el último cliente, Nadia salió al patio, me miró a través de la ventana y respondió a mi saludo. Parecía de unos cuarenta y cinco años, estaba teñida de un rubio oxigenado y tenía varios kilos de más. Llevaba unos pantalones anchos llenos de pinzas y una blusa floreada. Al volver a la pieza cerró la puerta y los postigos, seguramente para hacer el recuento del botín. Yo guardé el cuaderno en el bolso, corrí la mesa a su lugar y me preparé para ir a comer antes de que cerraran el bar. Como no tenía ganas de exponerme otra vez a la curiosidad de la gente me puse el pantalón nuevo, una camisa celeste y le di un billete a la esposa del dueño para que me lavara y planchara el saco. Mala suerte si se arruinaba. Al salir me encontré otra vez con la vidente que dudaba frente a la puerta de la habitación.

—¿Usted es de acá, señor? —me preguntó pero sólo quería que le confirmara que no. Lo hice y ella me dijo que venía de La Plata. La inquietaba dejar la pieza sola, cerrada con una llave tan simple. Le sugerí que hablara con el dueño pero hizo un gesto de desdén. Tenía las cejas muy negras y un lunar en la mejilla. Me dio la impresión de que no sentía mucha estima por el género humano.

—Yo voy a cenar y vuelvo enseguida —le dije—. Si me espera después puede salir tranquila.

Me estudió un poco pero no tenía luz suficiente para leerme la mirada.

—El comisario me dijo que a las diez me iba a mandar un vigilante —dijo—. ¿Quiere que comamos algo acá? Digo, si no tiene otro compromiso.

No entendí si lo del vigilante era cierto o una astucia para marcarle un límite a la noche. La idea de que todo el pueblo se reuniera a verme comer solo en un rincón del bar no me entusiasmaba demasiado y decidí acompañarla.

—Con mucho gusto —le dije.

Volvió a la pieza, me señaló una silla y dejó la puerta entreabierta para que nadie pensara mal. Por el suelo, arriba de las camas y adentro del lavatorio había de todo, como en una rotisería: empanadas caseras, salame, quesos, vino, tortas y hasta dos latas de aceite para el auto. Puso los cubiertos sobre la mesa, me dio a descorchar una botella de tinto y me dijo que podía servirme lo que más me gustara. Agarré un par de empanadas y un pedazo de queso mientras ella sacaba dos vasos de cartón y me pedía disculpas porque no tenía costumbre de recibir visitas. Eso la hizo reír, como si se burlara de sí misma. Sobre la mesa había dos mazos de naipes bastante manoseados, una vela por la mitad y varias más que se habían derretido en el curso de la tarde. Comimos con ganas, cambiando frases sin importancia y cuando se enteró de que yo trabajaba en informática hizo un gesto de horror.

—Ahora hacen astrología por computadora —dijo—, ¿se da cuenta?

—¿Sale de gira muy seguido? —le pregunté.

—La gente es mejor en el interior —respondió—, más honesta.

—¿Entonces por qué se queda a cuidar la pieza?

No había querido molestarla pero la observación le cayó mal.

—Siempre hay algún amigo de lo ajeno —se defendió y bebió un trago de vino con una delicadeza afectada. Luego fue a buscar entre los postres que estaban sobre la cama y eligió una torta de limón. Cortó dos buenos pedazos, levantó las cartas con una sola mano y mientras comía las barajó con la habilidad de un profesional. En la pared había colgado un mapa astrológico para impresionar a la clientela.

—¿Cómo hace para trabajar sin gato? —le pregunté y entonces abrió los ojos grandes como ciruelas. Abajo del pelo teñido tenía una cabeza de gitana que el tiempo había maltratado bastante. Ahora debía guardar un revólver en alguna parte, como Lem.

—¿Usted es del oficio? —preguntó.

—No, pero me dijeron que sin un gato cerca no se puede hacer nada.

Sonrió. Debajo de la blusa tenía un busto opulento que todavía se mantenía firme. Aunque la luz no era buena podía verle las arrugas en el cuello. De pronto, del mazo que mezclaba con una sola mano saltó un naipe que cayó justo en el centro de la mesa. Era un rey de trébol.

—Discúlpeme —dijo—, necesito saber algo de usted.

—Bastaba con preguntármelo —le dije, pero no me escuchaba. Se sirvió otro pedazo de torta y un vaso de vino mientras un cuatro de corazón caía encima del rey.

—¿Hace mucho que está separado?

—Un año o dos, no sé.

—Tiene un hijo o una hija lejos. Le pregunto si hace mucho que está solo.

—¿No lo puede averiguar sin ayuda?

—Me falta el gato —me dijo, burlona, y se pasó la lengua por los labios para recoger un resto de limón—. Usted vivió lejos. Problemas de política, ¿no? En una de ésas es ingeniero pero le va mal.

—No necesita las cartas para darse cuenta de eso.

—¿Por qué volvió? Tenía una buena posición allá. Había alguien muy importante que confiaba en usted.

—¿Dónde "allá"?

Tiró cuatro naipes tapados y me dijo que los diera vuelta en el orden que quisiera. El juego me atraía y me humillaba al mismo tiempo.

—Italia, Francia, una ciudad donde ahora está su hijo. Varón o mujer, no veo bien.

—Mujer.

—En España —dijo—. Le escribe seguido y usted no contesta.

Levantó la vista para ver qué efecto me hacía. Tenía ganas de hablarle del cálculo de probabilidades, pero pensé que debía estar con auto y me vendría bien que me acercara hasta la ruta.

—¿Qué hace acá? —le pregunté—. ¿No hay bastantes clientes en La Plata?

—Mucha competencia. Antes mi marido hacía el norte y yo el sur pero ahora hago todo yo. El mes que viene nos vamos a vivir al Brasil. Los chicos ya están allá.

Miré las provisiones que le habían dejado y le comenté que si no conseguía dinero en efectivo le iba a ser difícil pagarse la mudanza.

—No crea, esto ayuda. ¿No quiere saber si su hija está bien?

—¿Usted lo sabe?

Mezcló los naipes con la habilidad de un fullero y me pidió que eligiera dos.

—Está bien la chica, sí. De novia tal vez. Usted no le hizo fácil la vida.

—¿Hubiera podido hacer otra cosa?

Se encogió de hombros y después agitó la melena amarilla. Le pregunté si le molestaba que fumara y me respondió que no con un gesto.

—Usted no va a ninguna parte —me dijo.

Le encantaba la torta de limón y se la iba a comer toda. A cada pedazo que cortaba los ojos le relucían de otra manera, se escapaba de la tristeza de hablar siempre de los otros.

—¿De qué signo es? —insistió.

—¿Qué importancia tiene? Llevo hechos varios programas de astrología.

—¿Sabe qué? No se ofenda, pero usted está cansado de llevarse puesto.

Nos miramos un momento. Tal vez hablaba de ella pero igual había conseguido herirme. De pronto me pareció que un gato pasaba delante de la puerta pero era el vigilante que llegaba.

—Dos chicas se fueron llorando esta tarde. ¿Era necesario?

—No le puedo dar buenas noticias a todo el mundo. Nadie me creería.

—¿Ya sabe quién soy?

—Mejor que usted. ¿Adónde quiere que lo deje mañana?

—En cualquier parte. Un tipo me encargó un trabajo pero tuvo que salir corriendo.

Miró a su alrededor las paredes sucias, llenas de telarañas.

—Quiere hacer saltar un casino —agregué.

Se comió las últimas migas de la bandeja, puso el mazo sobre la mesa y sacó una carta con una uña tan filosa que parecía un bisturí.

—Un hombre sin cara, muy apenado —leyó en alguna parte.

Le dije que sí.

—Haga el trabajo entonces. Es la última oportunidad para él.

10

En cuanto Nadia apagó la luz se largó el diluvio anunciado por el rubio del bar. El cielo se cerró de golpe y la tormenta empezó con truenos y relámpagos antes de que viniera la lluvia. El agua entraba por la ventana de mi pieza y caía sobre la cama, de modo que me apuré a cambiarla de lugar para poder acostarme. Me tiré a revisar lo que había escrito buscando errores y agregando números cuando me acordé del vigilante. Era un petiso morocho que estaba usando el uniforme de otro más corpulento. Me asomé a la ventana envuelto en la toalla y lo vi apoyado contra la pared, empapado, con la gorra calada hasta las orejas. El dueño de la pensión dejó cerrado el pasillo para evitar la inundación y todos se habían olvidado de él. Abrí la puerta y lo llamé a gritos entre los ruidos de la tormenta. El infeliz vino sin guarecerse, tomándose el trabajo en serio y se plantó delante de la puerta con la mano abierta contra la visera.

—Agente Benítez a su servicio —me dijo y se quedó esperando que le dijera de qué se trataba. La cartuchera que llevaba era tan vieja y estaba tan descosida que el arma se le iba a caer no bien diera un paso en falso. Dentro de la chaqueta llevaba unas viejas revistas españolas que Nadia le había dado para que se entretuviera durante el plantón.

—Pase hombre, que se va a pescar un resfrío —le dije pero se quedó ahí, bajo la lluvia. Yo estaba en calzoncillos y los ramalazos de agua me hacían recular.

—Estoy de guardia, don —me dijo—; hasta las cuatro, estoy.

—Entre y monte la guardia acá —le grité. Por la visera se le deslizaban unas gotas finitas. La chapa que tenía en el pecho terminaba en 21, que era uno de los números que

Lem buscaba y con el que yo había trabajado toda la tarde. Dudó un momento, miró para atrás, se quitó la gorra y entró con paso tranquilo.

—Le agradezco, don. Justo un trago, nomás.

Cerré la puerta y le dije que no tenía nada para ofrecerle, salvo un cigarrillo. Me miró un rato, decepcionado, escurriendo el uniforme sobre el piso, con las puntas de los zapatones señalando las esquinas de la pared.

—Usted es el señor del auto —dijo, e hizo un gesto de admiración.

—Siéntese —le dije y le alcancé la toalla.

—Se chorrearon la ventana —comentó—. ¿Por qué no pidió unas bolsas para tapar el agujero?

Aspiraba las eses y se tragaba unas cuantas letras para ir más rápido. Insistí para que se sentara y le dije que iba a intentar dormirme. Colgó la gorra en el respaldo de la silla, dijo que la lluvia le venía muy bien al campo y se puso a hojear las revistas aunque de vez en cuando me miraba con ganas de charlar. Yo terminé de revisar el programa, guardé el cuaderno y me tapé con la sábana. El vigilante me preguntó si tenía que apagar la luz y le contesté que no, que leyera tranquilo. Parecía fascinado por las ilustraciones en colores y se quedó varios minutos mirando las fotos de un yuppie español que hacía tenis y se doraba al borde de una piscina. Ya se había olvidado de mí: cabeceó un poco y se durmió antes que yo.

Serían las tres de la mañana cuando Nadia empezó a los gritos. Primero dio un alarido angustioso y después dos o tres quejidos que parecían salir de ultratumba. Benítez se paró de un salto, sacó la linterna y desenfundó el arma con cara de haber perdido el puesto. Mientras me ponía el pantalón miré por la ventana pero no vi nada extraño. El vigilante salió bajo el aguacero, se llevó por delante la misma maceta en la que yo había tropezado antes y pateó la puerta de Nadia sin contemplaciones, igual que los policías de la televisión. Yo fui detrás de él, maldiciendo porque se me mojaba el pantalón nuevo, pero la puerta no cedió y nos quedamos bajo la lluvia, mirándonos como estúpidos. La única luz que había era la nuestra y la que venía de los relámpagos. Como Nadia dio otro grito, Benítez me miró igual que si yo fuera el comisario y tomó distancia para cargar otra vez. No tenía el físico adecuado para eso y tuve que ayudarlo un poco. Al fin la cerradura saltó y entramos trastabillando entre quesos y empanadas. Nadia estaba en enagua, sentada en la cama y alrededor de ella había un par de botellas de vino vacías y una de ginebra que se había volcado sobre las sábanas. Tenía los ojos dados vuelta y con un dedo lleno de anillos apuntaba detrás nuestro. "¡Ahí, ahí!", se decía a sí misma. No tenía el aspecto de alguien que va camino al Brasil. Benítez se dio vuelta con la linterna pero sólo encontró la pared donde estaba la carta astrológica. Nadia tendía las manos pero no era a nosotros a quienes suplicaba. Le dije a Benítez que se quedara tranquilo, que no era nada más que una pesadilla pero no me escuchó y fue a mirar abajo de la cama donde encontró una petaca vacía.

—No, don, yo creo que la adivina está borracha —dijo y me quedó claro que era un especialista en constatar hechos irrefutables. Levantó las botellas vacías, las acomodó en una hilera contra la pared y me dijo que tendría que dar parte del incidente. Fui a sentarme al lado de Nadia, que me tocó la cara como una sonámbula. Le prendí un cigarrillo de los que había sobre la mesa de luz y se lo puse entre los labios. Por puro reflejo le dio una pitada pero se atoró y volvió a ponerse mal.

Probé acostarla de lado aunque al principio se resistió y empezó a temblar de la cabeza a los pies. En el forcejeo un pecho se escapó de la enagua y nos mostró un esplendor algo marchito. El pezón tenía una gran aureola violeta o tal vez era la penumbra que me confundía. Dejé que Benítez le echara una ojeada y le acomodé la ropa. No bien se calmó aparté unos tarros de dulce y unos jamones para levantar la frazada del suelo. La cubrí y busqué algo que pudiera hacerla vomitar. Benítez dijo que a los borrachos había que ponerlos cabeza abajo y me aseguró que en eso tenía experiencia. Lo dejé preparando un jarabe de yerba, dulce de membrillo y no sé cuántas cosas más mientras yo iba al patio a buscar una palangana. Hacía mucho que no oía tronar así y pensé que la tormenta había agravado el efecto de los tragos. El horizonte se había cerrado detrás del paredón que rodeaba el patio y nadie más parecía despierto. Vacié la palangana y volví a la pieza.

—Ya me debe estar por llegar el relevo —dijo Benítez, que revolvía la mezcla en un vaso. Supuse que no quería que el otro vigilante lo viera en apuros y acerqué la palangana al lado de la cama. Luego, cuando me hizo seña de que estaba listo, le levanté la cabeza y le cerré la nariz. No necesitó más que dos sorbos para ponerse boca abajo y devolver todo. Benítez sonreía, satisfecho, aunque Nadia nos insultaba y pedía que llamáramos a la policía. En cuanto dejó que me acercara la peiné un poco, le puse un pulóver sobre los hombros y retiré la palangana. Al rato vi que se las arreglaba sola y volví a mi habitación, pero Benítez se quedó cumpliendo con su deber bajo la tormenta.

El otro agente vino con media hora de atraso. Pensé que Nadia dormiría todo el día, que con esa tormenta iba a ser imposible salir del pueblo y decidí seguir a pie en cuanto parara el aguacero. Me tapé hasta la cabeza porque de a ratos el viento se embolsaba en la pieza y me dormí antes de que empezara a amanecer.

Estaba en un sueño profundo cuando escuché la voz de Nadia por el hueco de la ventana. Me desperté sorprendido. El viento le torcía el sombrero y me sonreía con los labios pintados. Se había puesto unos anteojos de sol y un impermeable aunque la lluvia había amainado. Llevaba las uñas recién arregladas y todos los anillos puestos.

—Vamos, ayúdeme a cargar las cosas —me dijo con un optimismo que me desconcertó. Le dije que esperara a que me vistiera y cuando me levanté vi que eran las diez. Tuve que ponerme el pantalón roto y otra camisa y después fui a buscar el saco que la mujer de la pensión me había planchado. La calle estaba enchastrada como un potrero y pensé que ningún auto podría pasar por ahí, pero Nadia apareció al volante de un 2 CV viejísimo que se las arreglaba para avanzar.

—¿Qué tal? —me gritó mientras estacionaba de culata—. ¿Le gustaría pasar otra noche en este paraíso?

Volví a la pieza y en la pared escribí un mensaje para Lem. Le avisaba que estaba preparando lo que me había pedido y que ahora iba camino a La Plata.

11

El vigilante y yo hicimos como diez viajes para vaciar la pieza. Nadia nos daba órdenes, cubierta con el impermeable que le llegaba hasta los tobillos. Parecía acostumbrada a eso y sabía cómo aprovechar cada rincón del auto. Una vez que el Citroën estuvo lleno me dijo que el peso era bueno para la estabilidad, se quitó el impermeable y me dio un termo con café que le habían preparado en la pensión. Antes de salir le regaló unas latas de paté de foie al vigilante y saludó a todo el mundo como un político en gira. No bien arrancó por la única calle me di cuenta de que tenía el mismo problema que Coluccini: no podía poner el cambio porque el auto empezaba a tironear y perdía velocidad. Los limpiaparabrisas parecían de juguete y como el de su lado no andaba tenía que inclinarse hacia mí para mirar la calle. Varias veces el Citroën se fue de costado y por fin, cuando tomamos el camino ancho, Nadia puso dos ruedas sobre la huella de un tractor y eso lo estabilizó bastante. Aunque la carrocería hacía un ruido de latas arrastradas nos alejábamos de Triunvirato y eso nos alegraba a los dos. Abrí el termo para servirle un café pero me dijo que no, que una ginebra le vendría mejor.

—Anoche usted se fue bastante picado —me reprochó de golpe.

—Discúlpeme, no me di cuenta —respondí, perplejo, y le puse un trago corto en un vaso. Con un gesto me indicó que lo llenara un poco más. El coche iba lanzado a treinta por hora pero a mí me parecía que iba a más de cien.

—No se preocupe —detrás de los anteojos le asomaba una sonrisa comprensiva—. A los hombres les cuesta horrores andar solos. Bengochea siempre volvía hecho un trapo.

—¿El también hace astrología?

—Astrología, enciclopedias, juguetes, depende del lugar.

—Se ven poco entonces.

Me miró, extrañada.

—Suficiente para mí —dijo—. Cada vez que salgo me pregunto si voy a volver. Después las cartas me dicen que sí, que peor es nada; entonces aquí me tiene, camino a casa. Bengochea es un seductor, no crea, tiene lo suyo.

—Entiendo.

—No sé, no sé si ustedes entienden. Las mujeres tenemos otra sensibilidad. Siempre hay que aguantarse algo brutal. Del marido o de otro. ¿Eso lo entiende?

—Creo que sí.

No parecía muy convencida. Esquivó una piedra, golpeó el guardabarros contra el borde de la huella y me preguntó si había desayunado.

—No, no tuve tiempo.

—Hágase un sándwich, entonces. Mientras trabajo yo no como otra cosa.

—¿Estamos lejos del pavimento?

—Un par de horas más o menos. ¿Usted adónde va?

—A ninguna parte... Fue usted que me lo dijo.

—¿Vino a consultarme ayer?

—Cenamos juntos, en su habitación.

Buscó en la cartera, sacó los naipes y mientras sostenía el volante con una mano los mezcló con la otra. Al fin se tiró sobre la falda un seis de trébol y enseguida un as de pique.

—Lo tuve que echar porque estaba borracho y se empezaba a poner molesto.

—Lo siento —le dije.

Tiró un par de cartas más y las miró de reojo mientras vigilaba el camino desierto, siempre inclinada hacia mi lado. Las nubes estaban cada vez más bajas y cargadas.

—Hay pesares en su vida... En fin, ¿quién no los tiene?

—¿Qué le dicen a usted las cartas? —le pregunté.

Se encogió de hombros y se acomodó los anteojos.

—Un país lejano. Bengochea que se me muere pronto... Los chicos que se casan... Nada del otro mundo.

—¿Le hago un sándwich?

—Jamón con un poco de mayonesa, por favor. En la caja de zapatos va a encontrar todo.

Separé unas fetas y las puse sobre el pan que estaba bastante húmedo. Los vidrios del auto se habían empañado pero no tenía importancia porque no había nada que mirar: para mí era como si siempre estuviéramos en el mismo lugar. Mientras untaba la mayonesa, Nadia tuvo que hacer una maniobra para vadear una laguna que se había formado en una bajada. Al principio el Citroën le hizo frente y se aferró en el fondo del pantano pero las olas volvían de rebote y nos empujaban a cualquier parte. Nadia dio unos cuantos golpes de volante pero no pudo hacer nada más y el agua nos llevó como a un barco de papel. El auto flotó un rato, chocó contra una banquina y yo me fui encima de ella sin tener de donde agarrarme. La carga se movió para el mismo lado y el auto hizo veinte o treinta metros antes de detenerse contra el alambrado. Por el piso empezó a entrar un agua embarrada que se llevó los sándwiches y nos tapó los pies. El motor funcionó todavía unos minutos más, y cuando el agua cubrió el caño de escape se apagó con una explosión ahogada. Nadia insultó a todos los dioses, le dio unos cuantos puñetazos al volante y después se sacó los anteojos sucios de barro. Era la sombra desolada de la mujer que había visto por la noche; tenía los ojos rojos y se le veían las raíces del pelo encanecido. Parecía un bucanero al mando de un navío arrastrado por el azar. Los chorizos y las latas de conserva empezaban a flotar alrededor nuestro y me di cuenta de que se resignaba a la derrota. Abrió la ventanilla, miró la inundación y después, sin decirme nada, se recostó en el asiento y sacó la polvera para arreglarse la cara.

Quedamos a la deriva mientras la lluvia se hacía más firme, como si se instalara por la eternidad. Nadia miraba el espejo y se pintaba los labios con la aplicación de una adolescente.

—No se asuste —me dijo—. Prepare los sándwiches y comamos tranquilos.

Revolví la caja mojada pero buena parte de las provisiones se habían dispersado con el cimbronazo.

—¿De verdad no se acuerda? —pregunté.

—¿De qué tengo que acordarme?

—No, de nada —respondí.

Tuve que secar el jamón con un trapo. El frasco de mayonesa se había perdido debajo del asiento pero el pan se salvó porque quedó atrapado entre dos latas de aceite. Tomamos una botella de blanco muy liviano y luego abrimos una de tinto que era mucho mejor.

—Bengochea tiene una amante muy bonita —me comentó Nadia. Sacó una billetera y me pasó la foto del marido. Era un tipo flaco, pelado, de lentes gruesos y orejas muy salidas, vestido con un traje comprado en el Once.

—Me aparecía en las cartas pero no le decía nada porque yo sé que no le queda mucho tiempo al pobre. Se imagina que no dormíamos juntos desde hacía mucho pero lo que me intrigaba del asunto era cómo podía haberla conquistado. Un día lo hice seguir por uno de esos detectives de la Avenida de Mayo que hacen propaganda en el diario. Me cobraba en dólares el ladrón pero hay que reconocer que los descubrió enseguida.

—¿Quién era ella?

—Una chica de la juguetería. En ese tiempo él vendía muñecos en el colectivo y le compraba a un mayorista. Estábamos pagando el televisor, me acuerdo. Entonces me fui a verla a la mocosa y le pregunté qué le había visto a Bengochea. Claro, al principio se echó a llorar pero después fuimos a una confitería y me dijo que era un hombre muy tierno, muy gentil, que le regalaba flores y chucherías. ¿A usted le parece?

Me mostró la foto otra vez. Parecía un tipo perdido a la salida de la cancha. Después me pasó la de la chica, una rubiecita que sonreía en el lago de Palermo.

—¿Cómo la consiguió? —le pregunté.

—Me la dio ella. Fuimos al cine y después vino a casa para que le tirara las cartas. Cuando Bengochea llegó, casi se muere. Desde ahora, les dije a los dos, quiero que se vean en casa, delante mío.

Me miró para ver qué opinaba.

—¿Y los chicos? —le pregunté.

—Ya estaban en Brasil. Tienen una banda de rock.

—¿Qué dijo Bengochea?

—Se encocoró. Me voy con ella, me dijo.

—Estaba decidido.

—No crea, les di un sopapo a cada uno y se terminó la historia.

—¿Se terminó?

—Se ven en casa, en el living. A veces vamos los tres al teatro, es como una hija nuestra que un día va a tener otro novio y se va a casar.

—¿Por qué me cuenta eso?

—No sé, estamos encerrados acá y usted me dice que anoche lo invité a cenar.

La miré mientras hacía un lugar en el Citroën. Lo único seco eran los asientos y había que arreglarse ahí. Me sonreía con tanta ternura que ya no podía volver atrás: la tomé por los hombros y le di un beso cerca de la boca. Ella me buscó con los labios recién pintados, con una lengua gorda y espesa y nos fuimos acomodando despacio. El coche se balanceaba bajo la lluvia y yo quería ver de nuevo esos pechos grandes con puntas violetas. Me costó mucho abrir el cierre del corpiño y tuve que agarrarme de la palanca de cambios para no caerme. Nadia pasó una pierna a lo largo del respaldo y me dejó avanzar sin darme ningún auxilio. No hubo modo de deshacernos de la pollera, pero cuando me pasó los brazos alrededor del cuello el corpiño cedió y sentí una blandura suave que me llenaba las manos. Debo de haber gemido o tal vez dije algo, porque me apretó contra los labios y no me dejó bajar la cabeza hasta mucho después, cuando ya me había abierto el pantalón y estuvo segura de que todo iría bien. De pronto quedé boca arriba con el volante que me tocaba la nariz y un brazo metido en el agua. Nadia tuvo que zafar la pierna para levantarse y alcanzarme la boca. Me dio un beso largo y apretado, con una rodilla entre las mías y la otra en el suelo enchastrado. Yo quería tocarle los pezones, alegrarme la vista después de tanto tiempo sin hacer el amor y la tomé de la cintura para despegármela de la boca. De pronto se levantó y vi el tumulto que salía entre los pliegues de la blusa. Apoyé la cabeza contra el vidrio y alcancé a darle un mordisco en la piel blanca. Nadia dio un salto y se golpeó contra el techo pero creo que no le importó.

Estuvimos mucho tiempo así: yo respiraba por la nariz porque el peso del cuerpo me apretaba contra la ventanilla y ella jadeaba un poco, sin exagerar, sinceramente, con los ojos cerrados y la lengua entre los dientes. No le quedaban rastros de rouge en los labios que ahora eran dos trazos finos y temblorosos. Yo tenía un brazo aprisionado pero con el otro llegué por debajo de la pollera y tiré del elástico mojado. Si hubiéramos podido pararnos o cambiar de lugar hubiera sido fácil, pero estábamos dentro de una burbuja e hicimos lo que pudimos. Ella alcanzó a apartar la pollera mientras yo tiraba del pantalón y le acariciaba los pechos. Me moví para acomodarme y ella abrió el elástico, todo en una agitación anhelante, hasta que me atrapó con un golpe de cintura y nos quedamos sin respiración. La busqué suavemente y se apretó a mí con cuidado, como quien se calza un guante. Vino a ofrecerme los labios y por un rato no nos animamos a movernos. Las ojeras se le habían esfumado y me pareció que estaba en otra parte. También yo fui a visitar algunos buenos recuerdos. Tuve miedo de mis propios gritos lastimosos y cuando Nadia se despegó crispando un puño, jadeando, me di cuenta de que durante mucho tiempo me había olvidado de mí y que por eso no podía hacerle bien a nadie.

Se dejó caer hacia el costado y me miró un instante con ganas de decirme algo pero se quedó callada. Me pareció mejor así: tal vez pensaba en Bengochea o en el Brasil o en mí y lo que había visto en las cartas que ahora flotaban junto a los pedales del Citroën. No habíamos podido sacarnos la ropa y nos fuimos recomponiendo en silencio, cada uno recostado sobre la puerta de su lado. Estábamos embarrados y despeinados y tuvimos que poner en su lugar las cosas que pudimos salvar del agua. Pasé la mano por el parabrisas y entre la bruma distinguí unos árboles y unos postes de teléfono. Nadia me alcanzó un poco de torta de chocolate y me confesó que nunca había estudiado astrología, que la habilidad de las cartas se la debía a un maestro catalán con el que tuvo amores de muy joven. No me tuteaba; conservaba una distancia cálida y advertí que sin proponérselo ya me había apartado de su intimidad.

Aguanté todo lo que pude pero al caer la tarde tuve que bajar del auto para buscar un rincón discreto. Me arremangué los pantalones y fui hasta los árboles. Allí encontré tierra firme y unos matorrales que olían a menta. Oriné y luego fui a estirar las piernas. A la distancia, por el mismo lado que habíamos llegado nosotros, me pareció ver un revuelo de pajarracos y una estampida de barro que se levantaba contra la lluvia. El estruendo se hizo cada vez más cercano y pude distinguir el ruido de un motor a toda furia. Temí que el tipo no viera el Citroën que flotaba en el pantano y corrí a hacerle señas. Entonces vi el Jaguar de Lem que se hamacaba entre los charcos, ansioso como si persiguiera algo que se le escapaba sin remedio.

12

Lem me vio enseguida y una vez que cruzó el pantano empezó a frenar. Fui a buscarlo, contento de no tener que quedarme allí toda la noche, dispuesto a seguirle el juego hasta donde él quisiera. En cuanto bajó me di cuenta de que no le había ido bien. Le grité a Nadia que era mi amigo y esperé a ver si se mojaba los pies para venir a mi encuentro. No lo hizo. Se quedó parado sobre una loma, esperándome, y a medida que me acercaba empecé a recordar algunos trazos de su cara. Se había cambiado de ropa y hasta la corbata era nueva. No bien me acerqué se abalanzó sobre mí, me puso las manos en el cuello y empezó a apretar con todas sus fuerzas mientras me daba patadas en las piernas. Me tomó de sorpresa y casi me ahoga porque tenía dedos grandes y sólidos y yo venía descuidado. Atiné a empujarle la cara con una mano para sacármelo de encima, y cuando me convencí de que no se trataba de una broma, le devolví las patadas en los tobillos. Recién entonces me insultó pero sin mucha convicción.

Más bien parecía decepcionado. Al ver que no me podía ahorcar quiso darme un puñetazo pero alcancé a esquivarlo y le pegué un codazo en el estómago. Ninguno de los dos sabía mucho de peleas y estuvimos forcejeando y dándonos sopapos más torpes que dolorosos. A mí no me importaba volver al agua pero él trataba de mantenerse a distancia porque tenía la ropa seca y hasta se había perfumado. Nadia me gritó algo que no entendí porque las orejas me zumbaban, pero como me pareció que quería venir a ayudarme le hice señas de que no se moviera. Lem aprovechó ese momento para darme un golpe muy duro en la nuca y de pronto me encontré sentado en el agua. Entonces se agachó para hablarme.

—Podía haberme dicho que la conocía, pedazo de basura. ¿Por quién me toma?

En ese momento comprendí que no tendría que haberle dejado el cigarrillo manchado de rouge sin una explicación. Sentado en el charco, con el barro que me cubría la cintura, recordé que en las peleas del colegio nunca salía bien parado. Traté de serenarme y me alivió comprobar que Lem no iba a hacer un mundo de su victoria. Sólo parecía un poco sorprendido de su propia fuerza y pedía una explicación.

—De dónde la conoce, ¿eh? ¿De dónde? —me preguntó.

En ese momento vi que Nadia se acercaba despacio, medio escondida, como fuera de cuadro. Se había recogido la pollera y llevaba un pulóver sobre los hombros. Decidí darle tiempo y le contesté a Lem que no sabía de qué me estaba hablando y que se podía ir a la mierda. Eso lo exaltó un poco pero no quería seguir peleando. Me preguntó si yo la había conocido antes o después que él. Si era antes, no tenía importancia; de lo contrario yo era el culpable de que ella se quedara en Colonia Vela. Me estaba explicando eso, dispuesto a romper nuestra amistad, cuando Nadia hizo pie en el matorral y salió del agua. Lem advirtió su presencia y se puso derecho para saludarla esperando que ella le preguntara algo. En cambio recibió una bofetada que lo dejó medio desacomodado. Nadia llevaba el pelo atado y había vuelto a pintarse los labios. Me gritó que me levantara, que había que sacar el auto de allí, y cuando Lem quiso opinar le pegó otro revés que lo tiró al agua. Cayó a mi lado, tratando de amortiguar el golpe con el brazo y me dio pena ver cómo se le ponía el traje. Antes de levantarnos traté de convencerlo de que ni siquiera sabía cómo se llamaba su amiga.

—Levanté el cigarrillo en el camino cuando ella se alejaba, eso es todo —le expliqué.

Hizo un gesto de decepción y me miró de arriba abajo.

—Un hombre como usted recogiendo puchos... —me reprochó.

Nadia nos miraba sin entender y cuando Lem avanzó para darme la mano ella hizo una mueca de disgusto. Yo no quería quedarme con el peor papel y lo rechacé de un empujón. Recién entonces se dio cuenta de que estaba tan emporcado como nosotros y se dirigió a Nadia para preguntarle con quién tenía el gusto. Ella lo cubrió de insultos y se atrevió a decirle que de allí salíamos todos o no salía nadie. Lem tardó en comprender porque las cosas menudas le resbalaban como el agua por el traje. Me tragué la bronca y le expliqué que había que sacar el Citroën del pantano porque a Nadia la estaban esperando en La Plata.

—Tanto como esperarme... —dijo ella y se sacó el barro de los brazos.

Lem parecía confundido pero al fin salió del agua con una indiferencia que parecía sincera.

—¿Qué les parece si antes vamos a cenar? —propuso.

Yo ya había escuchado eso, pero Nadia acababa de conocerlo y pensó que se estaba burlando de ella.

—Seguro. Acá a la vuelta debe haber un restaurante —dijo.

Lem le siguió el movimiento del brazo pero como no encontró nada miró alrededor a ver si veía alguna luz. No estaba dispuesto a entregarse así nomás.

—Tiene que haber un lugar para comer —dijo.

Se estaba levantando un viento fresco aunque las nubes seguían tan cargadas como antes.

—Yo tengo una cuerda —le dijo Nadia—. Acerque el auto.

Lem estaba pensando en otra cosa. Recordé que en el Jaguar llevaba de todo y me pregunté si tendría una frazada o algo que pudiera abrigarnos a la noche. Fui con Nadia a buscar la soga y en el camino me preguntó dónde lo había conocido.

—En la ruta —le dije—. Me llevó hasta Triunvirato y después desapareció.

—¿Es el hombre que le encargó el trabajo?

Le contesté que sí y le recordé que ella me había aconsejado que lo ayudara.

—Un tipo raro —dijo—. Y se imagina que yo conozco mucha gente.

Ya en el coche sacó unos naipes secos y tiró cuatro o cinco sobre el asiento.

—No es el hombre de mi vida —predijo—. No es hombre para nadie; cuídese de él porque le puede complicar el viaje.

Le aseguré que lo haría y revolvimos entre la comida hasta que encontramos la cuerda. El olor a lechón me despertó el apetito pero no me animé a decírselo para que no creyera que abusaba. Ya se estaba haciendo de noche y me acerqué a Lem, que había prendido un cigarro. La cuerda era corta y le pedí que acercara el Jaguar para poder atarlo.

—Espero que no esté ofendido —me dijo desde la loma donde estaba tieso como un poste—. Alguien fue a contarle tonterías a mi amiga y cuando vi el cigarrillo... Les deja la misma marca a todos, ¿sabe?

—Váyase al carajo —le contesté y fui a ver si el coche tenía la llave puesta. El revólver seguía en su lugar y tenía las seis balas cargadas. Era un Colt flamante, con culata azul, que parecía no haber disparado nunca.

—Usted comprenderá —insistió Lem, y ya me estaba hartando—, un gran proyecto, una nueva vida, todo se evapora porque un intruso le dice "ese tipo es un aventurero".

—Cierto. Ahora baje y venga a ayudar.

—No fue el marido, que es una buena persona —siguió declarando—. No. Fue otro, un mistificador, un psicoanalista, un charlatán de feria.

Por fin bajó, flaco, alto y perplejo. Tuve la sensación de que temblaba bajo la ropa empapada.

—¿La señora corretea alimentos? —me preguntó con discreción.

—La señora es vidente y astróloga.

—¿Una adivina? ¿En serio?

Nadia ya estaba al lado nuestro, siempre con la pollera recogida.

—Con todo respeto, señora —le preguntó Lem, ¿usted pasó en estos días por Colonia Vela?

—Ayer. Estuve ayer —dijo Nadia y se dio vuelta para alcanzarme la soga.

13

En ese momento pensé que Lem se le iba a tirar al cuello pero en cambio se dio vuelta y se quedó mirando al suelo. Me pareció que le tenía miedo o bien que lo había ganado ese fatalismo que antes me reprochaba a mí. Entre los tres conseguimos acercar el Citroën a la orilla. Yo fui a buscar el Jaguar y lo puse de culata al borde del agua, conservando una rueda sobre tierra firme. Amarré la soga y le dije a Lem que arrancara despacio, sin tironear. Nadia se puso al volante y fui a preguntarle si alguien en Colonia Vela le había hablado de él.

—No sé, su cara no me dice nada.

—¿Nadie le mencionó un hombre que viene de lejos?

—¿De lejos? No me acuerdo. Me vienen con tantos dramas... A no ser que sea el banquero perdido...

—¿Cómo es eso?

—Una mujer me hizo el cuento de un banquero que venía de lejos y se perdió en el campo.

—De Río de Janeiro.

—No, de eso me habría acordado. De Estados Unidos, creo.

—¿Usted le dijo que el tipo era un aventurero?

—Posiblemente. Es un término que utilizo bastante.

En ese momento, Lem puso en marcha el coche y Nadia corrió al suyo. En un abrir y cerrar de ojos el Citroën estaba afuera del pantano. Al volver ella traía una sonrisa ancha y satisfecha pero Lem parecía un estropajo.

—Quisiera hablar un minuto con usted —le dijo y la tomó de un brazo.

Nadia le indicó que entrara al Citroën y me hizo señas para que me alejara. Aproveché para buscar alguna ropa seca en el Jaguar y encontré dos trajes flamantes pero no me animé a tocarlos. Me quité la camisa, la estrujé bien y encendí la calefacción para secarla; Prendí un cigarrillo y esperé a que terminaran la discusión. Apenas los veía a través de los vidrios mojados. Me pareció que ella estaba convenciéndolo de algo y en cierto momento sacó los naipes.

Al bajar del Citroën Lem se veía mejor. Dio unos pasos, pensativo, y prendió otro cigarro mirando el anochecer. Me hubiera gustado saber lo que pasaba por su cabeza pero estaba seguro de que no me lo diría nunca. Dio dos o tres vueltas alrededor del coche, ensuciándose los zapatos y luego entró al Jaguar en silencio. Pensé que necesitaría estar solo pero me hizo un gesto para que me quedara con él.

—Perdóneme —dijo—, me porté como un imbécil.

—Está bien. ¿Para dónde va ahora?

—¿Y usted?

—Donde me lleve.

—De acuerdo, pero acepte que lo invite a cenar.

—Nunca dije que no.

—Así me gusta. Dígale a la señora, si le parece.

Fui hasta el Citroën. Me dolían un poco las piernas pero sobre todo tenía hambre y me estaba resfriando.

—¿Qué le dijo? —le pregunté a Nadia.

—Eso es secreto. Como en el confesionario.

—Insiste en que vayamos a cenar.

—Le ha pasado de todo al pobre. Déjelo hacer.

—¿No quiere venir con nosotros?

Sopló un beso en la palma de la mano y me lo arrojó con una sonrisa.

—Olvídese de mí.

Fue lo último que me dijo. Me devolvió el bolso y arrancó en segunda, a los tirones. Todo era tan recto y tan chato que tardó mucho en desaparecer de mi vista. Lem ya se había cambiado de ropa y me dijo que eligiera lo que más me gustara. Me puse una camisa blanca y un pantalón holgado y el contacto con la tela seca me hizo sentir mejor. En la guantera encontré aspirinas y me tomé dos juntas. Lem me ofreció el volante pero le dije que no, que él sabría encontrar un restaurante mejor que yo. Sonrió y metió el coche en la misma huella que había seguido Nadia. Al rato alcanzamos al Citroën aunque no pudimos pasarlo hasta que Lem encontró una banquina más firme e hizo una maniobra bastante arriesgada. Antes de alejarse sacó una mano por la ventanilla y saludó a Nadia como si ya fuera un recuerdo.

Más adelante encontramos un asfalto lleno de pozos y Lem lo abordó con un viraje cerrado. Durante una hora no vimos nada ni tuvimos en cuenta la dirección que llevábamos. El mapa me resultaba indescifrable y lo único que temía era que nos quedáramos sin nafta. A veces el camino desaparecía y Lem tenía que acercar los ojos al vidrio para guiarse entre los charcos. Pasadas las nueve avistamos una rotonda tapada de yuyos y las luces de un motel del Automóvil Club.

—Ahí empieza el mundo —dijo Lem mientras disminuía la velocidad.

—¿No le da miedo? —le pregunté.

Me echó una mirada sarcástica, con una sonrisa que le arrugó las mejillas.

—¿Y si yo le hiciera la misma pregunta?

—Igual respuesta, Mister Lem.

Bajó la vista un instante como si eso lo hubiera perturbado y entró en la explanada del motel. Allí había un colectivo viejo que había sido de la línea 152 y unas carpas armadas a la apurada. Un tipo de anteojos estaba tratando de encender un fuego de carbón y otro más joven lavaba unos cuantos metros de achuras en un piletón.

Lem estacionó en la playa, frente a la que parecía ser la oficina y me pidió que fuera a averiguar por la habitación. Unos pasos más allá había un surtidor de nafta a oscuras y un Mercury modelo 46 o 47 en bastante buen estado. El empleado me mostró el precio de la pieza pero me avisó que estaba en huelga y que tendríamos que hacernos las camas nosotros mismos. También me dijo que para comer había que ir hasta la entrada de Junta Grande, donde había un lugar de camioneros. No nos quiso vender nafta a causa de la huelga, pero cuando Lem le mostró un billete de cinco dólares nos explicó cómo teníamos que hacer para que el surtidor funcionara gratis. Aproveché para llenar el tanque y un par de bidones de diez litros que encontré tirados en el patio. También abrí el capó para controlar el aceite; el último cambio se lo habían hecho en Asunción del Paraguay.

Lem me dio la llave y fue a ver si andaba el teléfono. Guardé los bidones en el baúl mientras el tipo del Automóvil Club miraba el auto como si fuera un plato volador. Como preguntaba con insistencia pensé en la policía y le dije que volvíamos de Punta del Este. No sé por qué hice eso. Yo no tenía cuentas con la justicia y no me pareció que Lem tomara precauciones especiales pero tenía un presentimiento vago, indefinible, que me impulsaba a protegerlo.

Llegamos al comedor de los camioneros, nos ubicamos en una mesa del fondo y allí me preguntó en tono de broma por qué lo había llamado "Mister".

—No sé —le contesté—, me vino de golpe. Podía haber sido otra cosa.

—¿La vidente le dijo algo sobre mí?

—Que me traería dificultades.

—En una de esas es cierto. Podemos despedirnos cuando usted quiera.

—¿Ya no le interesa la informática?

—Más que nunca, pero no quisiera que alguien tenga un disgusto por mi culpa. ¿Usted insiste en ir a... ¿Adónde me dijo que iba?

—No importa. ¿Qué clase de disgusto?

—No sé. Nunca le traje suerte a nadie.

—¿Usted viene del Brasil?

—No. No especialmente. Pero mejor no me pregunte nada.

—Está bien. El cálculo que me encargó está casi listo. El problema se le presentaba en la segunda docena, ¿no?

—Diecisiete y veintiuno. ¿Lo resolvió?

—Ya le dije que es inútil.

—Usted es un pesimista irremediable —me dijo—, pero yo lo voy a cubrir de oro.

—O de problemas.

—De eso puede estar seguro.

Sacó los anteojos de un estuche de cuero y me preguntó si prefería un torrontés del 82 o un borgoña del 85.

14

Se tuvo que conformar con un Rodas que no le pareció tan malo como suponía pero después del café pidió un cognac francés. Me pareció que no se daba cuenta de dónde estaba ni de lo que hacía. El mozo se hizo repetir la marca y le preguntó de qué se trataba. Nos miraba raro, tal vez porque teníamos algunos moretones de la pelea y no hacíamos juego con el lugar. Al fin nos ofreció un Reserva San Juan y Lem me preguntó si valía la pena arriesgarse con eso antes de ir a dormir. Le recordé que en el coche había una botella de Remy Martin y le sugerí que tomáramos un trago en el motel. Me había llamado la atención la manera en que devoró la tira de asado, como si comiera carne por primera vez. Pagó e iba a dejar una propina desmesurada pero le advertí que ese no era un lugar para ricos. Con un gesto contrariado se guardó parte del vuelto y con la mirada me consultó si lo que quedaba sobre la mesa era suficiente. Miré la cuenta y le dije que sí. Al volver al coche no pude aguantarme más y le pregunté si era tan rico como parecía. Me miró un momento con ganas de decirme algo pero al fin encendió el motor e hicimos el trayecto en silencio. Cuando llegamos al Automóvil Club estacionó cerca del Mercury en el que estaban durmiendo unos muchachos. Los del colectivo comían de pie, cerca de las brasas donde se doraban los restos de un costillar. Lem supuso que serían gitanos de paso pero me llamó la atención que para referirse al colectivo utilizara la palabra autobús.

—Voy a necesitar una computadora —le dije mientras recogía mi ropa.

Miró el campo mojado de donde venía un olor a avena.

—Arréglese, es cosa suya —sonaba a orden y eso me cayó mal.

—¿Mía? —le grité—. ¿Le parece que acá se puede conseguir una computadora?

—¿Por qué no? No sea pesimista, hombre; use el coche si lo necesita.

—Está acostumbrado a que otros arreglen los problemas por usted, ¿no?

Me miró con una languidez insoportable. El mundo sólo existía para hacerle las cosas más difíciles. Sacó una botella y dos vasos de la guantera y al bajar dio un portazo.

—Quisiera hablar con usted a solas —me dijo. Estaba de pie bajo el reflejo de la insignia luminosa.

—¿A solas? Hemos pasado horas a solas.

—El tiempo de una copa —insistió y me mostró uno de los vasos—. La señora Nadia me dio buenas noticias.

—Está bien. Pida la llave y espéreme en la habitación.

Ni eso sabía hacer. Saludó al tipo que seguía en huelga y se puso los anteojos para recorrer el tablero. Por fin encontró la llave y salió hacia el motel sin mirarme. Yo aproveché para ir a preguntarle al empleado si podía usar el teléfono.

—Ya le dije al otro señor que no. Es de uso exclusivo del Automóvil Club.

No insistí y salí a caminar por la explanada. La gente de las carpas había conseguido manzanas y peras para el postre y uno de ellos estaba afinando un contrabajo. En la radio del Mercury cantaba Mercedes Sosa, pero el muchacho se había calzado un walkman con el que debía de estar escuchando algo más excitante. Estaba vestido con jeans y una polera y tenía el pelo rubio muy corto. No bien me vio fumando me hizo un gesto para que le convidara un cigarrillo. Saqué el paquete, le di fuego y lo felicité por el coche pero me pareció que no me oía. El aparato le tapaba las orejas y seguía con un movimiento de cabeza el ritmo de una banda que tocaba para él solo. Levanté la voz para preguntarle adónde iba y sin quitarse los auriculares me hizo seña de que lo siguiera hasta el coche. Sobre el parabrisas había pegado la foto de una ciudad con rascacielos en la que decía "Cleveland, Ohio". Un poco más allá tenía una calcomanía de Mickey y otra de Bariloche. En el asiento de atrás dormía una chica tapada con una campera llena de prendedores. El muchacho levantó el pulgar para indicarme que todo andaba bien y después juntó los dedos hacia arriba para preguntarme qué pasaba conmigo.

—Bolivia —le grité, por decir algo y enseguida me dio su aprobación con un movimiento de cabeza. Fumamos en silencio apoyados en el capó del Mercury y al rato me señaló a los de las carpas y me hizo el ademán de alguien que toca el violín. No entendí lo que quería decirme pero me di por satisfecho y lo saludé con la mano. Me mostró otra vez el pulgar y volvió a ensimismarse en las guitarras y las baterías del walkman. Atravesé el patio, saludé a una mujer que estaba apagando el fuego del asado y fui a ver qué quería Lem.

Lo encontré acodado a la ventana, con el vaso en la mano y la mirada puesta en los nubarrones. Me alcanzó el cognac y me preguntó si sabía dónde estábamos. Le respondí que no tenía ni la menor idea y que me daba lo mismo.

—¿Qué computadora necesita? —preguntó, como si estuviéramos en condiciones de elegir.

—Cualquiera con suficiente memoria para cargar un software de cálculos.

Me miró como si le hablara en chino y me reprochó que no se lo hubiera dicho antes.

—Hay otra solución —le dije, siempre que podamos conseguir un teléfono.

—¿En serio?

—Le puedo dictar el programa a un amigo pero para eso hay que llamar a Italia.

—No hay problema —exclamó con un gesto de alivio—. Yo arreglo con el tipo de la oficina.

—Pruebe —le dije—. ¿De qué quería hablarme?

—De usted —me dijo y fue a llenarse el vaso. Sacó una silla junto a la baranda; todavía estaba desarreglado pero los tragos le levantaban el ánimo. El pero se le había pegoteado y tenía una buena marca encima de las cejas. Eso me reconfortó porque no recordaba haberle acertado un golpe en la cara. A esa hora se le notaba la edad, sobre todo por las ojeras y la voz que se le fatigaba.

—A usted tampoco le interesa la plata, ¿verdad? —me largó de golpe.

Lo observé por milésima vez tratando de imaginar un país o un planeta a su medida.

—No, no me interesa, pero la diferencia es que usted tiene y yo no.

—De acuerdo, pero no hice nada para ganarla, le aseguro.

—Eso no cambia mucho las cosas. ¿Qué quiere saber?

—No, nada. Detesto la curiosidad. Si me permite voy a proponerle un acuerdo de caballeros.

—¿Qué clase de acuerdo?

—Necesito que le entregue el dinero del casino a alguien. La mitad mía, se entiende, la otra parte es suya.

—¿Por qué no lo hace usted mismo?

—Yo no voy a poder.

—Ya le dije que el método no sirve. No se puede manejar el azar.

—Tiene que haber una lógica —protestó—. Hay treinta y siete números y una bola, ¿no?

—Mejor hable con Dios.

—Eso ya está.

—Bueno. A su salud, entonces.

Levanté el vaso y le vi el reflejo de una sonrisa en los ojos. Me pareció que necesitaba demostrarle algo a alguien y que la plata no tenía importancia. Lo que me pedía era que llevara la prueba de su victoria. De pronto se puso de pie y me dijo que iba a conversar con el empleado. Lo miré salir a la penumbra con la espalda encorvada y me pregunté por qué no le había dicho que estaba loco. Igual no hubiera servido de nada porque estaba dispuesto a jugar con programa o sin él. Recogí las llaves que había dejado sobre la mesa de luz y fui hasta el coche a buscar el bolso. El chico se había vuelto a meter en el Mercury y los de las carpas estaban apagando las lámparas. Saqué mis cosas y escuché que Lem discutía con el empleado; me di cuenta de que el tipo le había tomado el tiempo y quería sacarle plata. Abrí la puerta y pregunté con voz seca a qué hora íbamos a poder llamar.

—¡Ni mamado! —dijo el de la oficina—, yo no me voy a jugar el puesto por diez dólares.

—Cinco —corregí—. El señor dijo cinco.

Los dos se quedaron mirándome. De pronto sentí que me enfurecía. Me hubiera agarrado a gritos con ellos o con cualquiera. Estaba harto de rebotar de un lado para otro como una pelota.

—Me mostró diez —dijo el tipo y señaló la mano en la que Lem tenía el billete.

—Ahora son cinco —lo corté y empujé a Lem fuera de la oficina.

—Oiga, qué importa... —protestó y quiso volver a entrar.

—Justamente, ya que no hace nada para ganar al menos defiéndase, ¡pedazo de imbécil!

—¡A mí no me va a insultar! —gritó.

—Usted va a perder siempre, Mister Lem. Igual que en Colonia Vela cuando la dejó irse, igual que en Río o en Alaska...

Estábamos parados frente a la vidriera. Yo le miraba los ojos y le vigilaba las manos porque pensé que iba a golpearme otra vez.

—¡Pobre infeliz! —me interrumpió—. Usted es una sombra, nada más que una sombra que va por ahí. Un tipo que anda espiando a la gente, juntando puchos del suelo... ¿Ya se miró al espejo?

Fui tan estúpido como para mirar el vidrio y verme con los pantalones que me había prestado. Parecía un payaso y no supe qué contestarle. Di media vuelta y caminé hacia la pieza sabiendo que me miraba con compasión.

Esa noche no vino a dormir. Supuse que se había quedado en el Jaguar y decidí terminar el programa y pedirle a los chicos del Mercury que me sacaran de allí. Verifiqué las ecuaciones y después de pasar todo en limpio me metí en la cama. Apenas apagué la luz el empleado golpeó la puerta para decirme que mi amigo lo había mandado a la mierda, pero que yo le caía simpático y estaba dispuesto a hacernos el favor que le habíamos pedido.

15

Volvió a llover durante la noche y al despertar descubrí en el cielo un color como no había visto nunca. Desde la ventana parecía una serpentina suspendida sobre la llanura. La curva envolvía las estrellas y de ese lado llegaba una sinfonía lánguida arrastrada por el viento. Me vestí y salí al patio. Para mí esa hora y esa luz habían sido siempre de partida y de presagio. El Jaguar y el Mercury seguían allí pero el colectivo se había ido llevándose las carpas. Detrás de la oficina del Automóvil Club pasaba un alambrado que se perdía a la distancia y protegía un mundo que me era ajeno y hostil. De pronto recordé que había soñado con eso: un laberinto asfixiante en el que por más que caminara siempre estaba en el mismo lugar. Algo me atrajo, quizá la incertidumbre o mi propio miedo y me largué a correr hacia cualquier parte. En la ruta vi un tipo subido a un poste de teléfono que miraba a lo lejos. Pensé que buscaba lo mismo que yo pero después me di cuenta de que estaba cortando los cables mientras otro, en el suelo, los enrollaba con destreza profesional. El cobre se había lavado y los rollos amontonados al borde del camino brillaban como las coronas de los santos. Los dos ladrones se demoraron un momento, sorprendidos por mi carrera silenciosa. A lo lejos, donde comenzaba a borrarse el asfalto, distinguí las siluetas y el piano que parecía un gigantesco ataúd velado por una cofradía demente. Pensé que si Dios existe estaba allí, mezclado con los músicos, dictando el último salmo o abriendo el juicio final. Los del colectivo 152 tocaban un Réquiem solemne pero sin tristeza mientras en la línea de la llanura asomaba una brizna de luz rojiza. Parecían espectros que de vez en cuando tendían el brazo para dar vuelta una página de la partitura. El viento les inflaba las camisas y las polleras y a veces les arrancaba las hojas de los atriles. La chica del piano tenía rizos colorados o tal vez eran los reflejos del amanecer. A uno de los violoncelistas le faltaba un vidrio de los anteojos y el tipo del contrabajo tenía que agacharse para acompañar el instrumento que se hundía poco a poco en el barro. Los ladrones llegaron hasta donde estaba yo y se sentaron sobre las parvas de cobre a escuchar con la boca abierta. Cuando el sol se levantó todos estábamos como desnudos. El piano se hizo más negro y la tapa abierta le daba el aspecto de un pajarraco abatido por la tormenta. Los músicos eran doce o quince y se despedían sin rencor de algo que habían querido mucho y por demasiado tiempo. No había otros colores que los del cielo espléndido y los grises del campo me parecieron de una melancolía abrumadora. Mozart debía estar dándoles su aprobación y ellos lo sentían porque en sus caras había sonrisas jubilosas. Hasta que todo terminó. El apoteosis de las últimas notas se desvaneció en un cortejo de hombres y mujeres pequeños que se perdían como hormigas preparándose para un largo invierno. Entre todos subieron el piano con una cuerda y lo ataron al paragolpes. Al arrancar, el 152 dejó una polvareda que tardó en disiparse. Por unos instantes traté de retener esa imagen fugitiva y busqué con la vista a los ladrones para apoyarme en algo más sólido que mi pobre memoria. Ya se había hecho de día y estaban escondiendo los rollos entre el pasto para que otros pasaran a recogerlos. No se cuidaban de mí; uno de ellos me dio los buenos días y me preguntó si me había quedado de a pie. Le conteste que sí, que no tenía importancia y caminé por el medio de la ruta mirando los postes desnudos. Más tarde pasaron en una Harley Davidson con sidecar y se perdieron en el campo. Yo volví sin apuro y al borde de la ruta encontré una tacita de porcelana que se había caído de un poste. Recordé que cuando era chico las rompíamos con la honda y eso me dio un poco de tristeza. Sin saber por qué me la guardé en el bolsillo y la fui acariciando con los dedos mientras pensaba en los tiempos del colegio, cuando creía que tenía una vida por delante.

16

Los chicos del Mercury estaban preparándose el desayuno y cuando me vio llegar el muchacho me hizo una seña amistosa. Seguía encerrado en el walkman y la radio del coche sonaba sólo para su amiga que tendía un mantel sin importarle que el suelo estuviera mojado. Un poco más allá Lem dormía apoyado en el vidrio del Jaguar, despechado, mal afeitado y con el traje puesto. Entré a la pieza a buscar el bolso y volví con lo poco que tenía: un puñado de yerba, una barra de chocolate y la media botella de cognac. Le pregunté a la chica si podía tomar unos mates con ellos y me respondió que sí, que ya había puesto el agua a calentar. Tenía unos ojos muy verdes y una mirada inteligente y cálida que me recordó a otra, más lejana. Pensé que ya debía haber pasado por homenajes y decepciones, aunque todavía le faltaba lo más duro. Le alcancé el chocolate suizo y lo miró un rato, deslumbrada.

—Eso no es nada —le dije—, fíjese.

Le pasé la botella y después que leyó la etiqueta me preguntó si el Jaguar era mío.

—No, es del tipo ese —señalé a Lem, que había cambiado de posición y dormía sobre el volante.

El muchacho, que estaba sentado en una alfombra del coche, echó un vistazo a lo que yo había traído y levantó el pulgar, satisfecho. Le pregunté si había escuchado una música que venía del campo pero no me contestó. Tal vez era mudo pero no me atreví a averiguarlo. Fue hasta el Mercury donde había conectado un calentador y trajo el agua casi hirviendo. El muchacho me alcanzó el mate y con un gesto me indicó que no lo cargara mucho. Mientras ponía la yerba le pregunté si tenían permiso para entrar a Estados Unidos. El chico se quitó los auriculares y me acercó una oreja para que le repitiera la pregunta. Después se paró, fue hasta el coche y volvió con los pasaportes como si tuviera obligación de mostrárselos a todo el mundo. Ya se habían casado y no se por qué eso me decepcionó un poco. Ella se llamaba Rita, con un apellido judío o polaco que me recordó al de Lem. El era Boris, recibido en física, y los dos tenían visas temporarias. Los felicité pero él movió la cabeza como si todavía dudara de algo.

—¿Usted sabe cómo se llega a la Panamericana? —me preguntó Rita.

—No sé dónde estamos ahora —le dije y le pasé un mate espumoso—. ¿Le preguntó al del Automóvil Club?

—Hace una semana que está en huelga.

Boris asintió y empezó a morder un bizcocho esperando su turno.

—¿Sabe para dónde iba la gente del colectivo? —le pregunté a ella.

—No, ya los cruzamos dos veces.

Seguimos con el mate hasta que Lem se despertó y fue a orinar atrás del surtidor de nafta. No se habría dado cuenta de que estábamos allí. Rita me preguntó quién era.

—Un banquero perdido —le dije con una sonrisa.

—¿Y usted?

—Yo estoy de paso —le expliqué y con eso se conformó.

Le cebé el último porque la yerba ya se había lavado y la miré a los ojos. Era de una belleza transparente, casi angustiante. Lem volvió al coche estirando los brazos y entonces advirtió que estábamos ahí. Tomó un largo trago de una botella, se arregló la corbata en el espejo y después se acercó como si conociera a todo el mundo. Le tendió la mano al chico, le dedicó una inclinación de cabeza a ella y a mí me miró con resquemor.

—¿Terminó el trabajo? —me preguntó.

—Hay que hacer la llamada.

—Cuando guste —dijo y encendió un cigarro. En ese momento Rita repitió algo que yo nunca tendría que haberle dicho.

—¿Así que usted es un banquero perdido?

Lem la observó inquieto, me fusiló con la mirada y le preguntó de dónde había sacado eso.

—Es una broma —respondió ella, que debe haber sentido la incomodidad del otro.

—¿Qué importancia puede tener? —dijo Lem y miró la vastedad del campo—. Todo es posible... —agregó—. Dios nos tira por ahí y si no nos gusta el lugar empezamos a buscar otro. Estoy seguro de que ustedes buscan el suyo. En fin, señorita, le ruego que me encuentre una profesión más estimulante.

Rita se desconcertó un poco con la réplica y le repitió que se trataba de una broma. La música del amanecer todavía me daba vueltas en la cabeza pero ahora estaba en buena compañía y eso me bastaba. Rita nos contó de un predicador coreano que habían encontrado en el camino. Iba en un Ford muy viejo y se paraba a redimir almas en los pueblos de la provincia. Cerca de Lobos le habían dado una puñalada en una pierna y cuando ellos lo encontraron todavía estaba rengo y hablaba solo.

Nos divertimos un rato contando anécdotas de la ruta mientras Lem nos miraba con curiosidad. El desayuno hizo que se me fuera el cansancio. Guardaba una vaga emoción en el alma y tenía ganas de hacerle bien a alguien así que saqué el papel con los cálculos y se lo alcancé a Lem. Eso lo trajo de nuevo al mundo. Me recordó que tenía que hablar a Italia y me alcanzó la billetera para no sacar la plata delante de los otros. Me levanté y fui a despertar al empleado con un billete en la mano. Le comenté que se habían robado los cables del teléfono, pero me dijo que eso no tenía importancia, que los que se jodían eran los de Junta Grande.

Tardé media hora en conseguir que me atendiera la operadora de larga distancia y otro tanto para que me comunicara con Roma. Al fin escuché la voz de mi amigo que me preguntó dónde estaba. Traté de describirle el paisaje, le conté que acababa de escuchar Mozart y cuando terminé el relato me dijo que yo era un tipo de suerte, que me envidiaba de todo corazón.

17

Le di los cinco dólares al empleado y salí de la oficina. Lem había escuchado la conversación y me esperaba en la vereda. Los números que yo había dictado en italiano estarían bailándole en la cabeza, y no bien me vio se precipitó sobre el papel que llevaba en la mano.

—Oiga, esto no se entiende nada —me dijo un poco decepcionado mientras se sacaba los anteojos.

—Ahora se lo explico. Espéreme en la pieza.

Volví adonde estaban los chicos y les pregunté si podían hacerme un lugar en el coche hasta la próxima estación de servicio. Boris asintió con entusiasmo y me señaló el asiento de atrás. Rita me preguntó a qué hora quería salir porque ellos tenían que arreglar algo en el coche. Necesitaban acercarse a la Panamericana y pensaban que yo sabría por dónde ir. Les recomendé que cargaran nafta y les expliqué cómo tenían que hacer para servirse gratis mientras yo distraía al empleado. Entré en la oficina y le eché una mirada al mapa. Junta Grande no figuraba allí ni tampoco Triunvirato ni Colonia Vela. Se lo dije al tipo y me explicó que le habían mandado una hoja de ruta equivocada pero que él ya estaba acostumbrado a verla allí y que le daba lo mismo tener esa o cualquier otra. De todos modos, me comentó, ningún socio del Automóvil Club pasó nunca por esos parajes, al menos desde que él estaba en el puesto.

—¿Ni siquiera tiene un camión de auxilio? —le pregunté.

—¿Para qué? El que pasa por acá ya viene jugado —me contestó, acomodándose en la silla.

—¿Hay una comisaría cerca?

—Antes había un puesto de la policía caminera pero ahora andan por el campo corriendo a los cuatreros. Usted vio esos del colectivo el asado que se hicieron. Llevaban una res entera, ¿se da cuenta?

—No me fijé. Oiga, ¿cómo tengo que hacer para llegar a la ruta Panamericana?

—De acá no es fácil. Le conviene ir hasta Las Flores y cruzar por Cañuelas.

—¿Y cómo llego a Las Flores?

—No me pida más información que yo estoy en huelga. Pregunte en la rotonda.

Le agradecí y fui a recoger el bolso. Boris estaba tirado abajo del Mercury con una caja de herramientas y Rita me dijo que en un rato podríamos seguir viaje. Sonreía y cada tanto se tocaba el cabello que le caía sobre la espalda.

—¿Usted conoce Estados Unidos? —me preguntó.

—Un poco. Los Angeles, San Francisco...

—¿Ohio? —le costaba pronunciarlo.

—No. Por las películas, nomás.

—Vamos a extrañar el país —me dijo y se le ensombreció un poco la mirada. Le grité a Boris que revisara el aceite y el agua y me respondió con dos chiflidos de aprobación. Al otro lado del patio Lem iba y venía frente a la pieza con un vaso en la mano, esperando que le diera la solución para su enigma. Se había lavado y cambiado y estaba tan elegante como antes de la pelea. Le pedí que fuéramos al coche porque yo también tenía ganas de tomar algo fuerte.

Se sentó al volante y le devolví la billetera y el cuaderno. Con eso conseguí que se calmara un poco y empecé a explicarle el resultado tal como lo había tirado la computadora. Los ojos le brillaban como a un chico que escucha un cuento fantástico. Tal vez sólo necesitaba eso y por un momento creí que todo terminaría allí, pero pronto me di cuenta de que no: se puso a hurgar en la guantera, sacó un sobre amarillo y antes de dármelo me preguntó si seguía dispuesto a respetar nuestro acuerdo. Le dije que lo haría y le pregunté si corríamos el riesgo de terminar presos. Al escucharme me sentí como un miserable pero Lem me dijo que me quedara tranquilo, que no había nada de ilegal en hacer saltar un casino.

—¿Dónde quiere que nos encontremos? —preguntó.

—No sé, decida usted.

—Necesito dos o tres días, nada más. La vidente me dijo que pasada la primera noche empieza la buena racha.

—¿Dónde va a jugar?

—¿A usted qué le importa? Le dejo la mitad, ¿no? ¡Ya me estoy cansando de que se meta en mis cosas!

—Mire, Lem, no se quién es usted, ni de dónde viene, ni si vamos a vernos de nuevo. No me interesa su plata. Nos encontramos en un cruce de camino y nos separamos en otro. Eso es todo. No me tome por estúpido.

Bajó la cabeza, abrió la botella y puso en el vaso lo suficiente para remontar la moral de un batallón.

—¿De qué huye? —le pregunté.

Levantó la mirada, vació el vaso de un trago y apoyó los codos sobre el volante.

—Ya no lo sé... me perdí en el camino.

—Eso lo entiendo, sacaron todos los carteles.

—Yo voy para un lado, usted para otro. Una dama que conocí prefería quedarse en su lugar. Ya pasó por muchas tormentas, me dijo. Pero yo me voy a jugar la última bola. ¿Qué le parece si dentro de tres días nos juntamos en la ruta y vamos a cenar juntos? Usted siga derecho, que yo lo voy a alcanzar.

—¿Qué quiere decir "derecho"?

—No cruce el alambrado, digo.

—No hay peligro.

—Hágame seña.

—De acuerdo.

Le pedí que me dejara unas pocas provisiones y le di la mano. Era la primera vez que se la estrechaba y la noté un poco húmeda pero quizá era porque acababa de darse una ducha y hasta se había afeitado y peinado. Abrí la puerta y entonces me acordé de la tacita que había recogido en la ruta. Se la alcancé a través de la ventanilla, haciéndola rodar entre los dedos.

—Tome, para que le dé suerte. Nunca está de más.

La guardó con una sonrisa mientras se ponía los anteojos de sol.

—Esta vez no se me va a escapar —dijo y puso en marcha el motor.

Vaciló un momento antes de elegir la dirección y tomó hacia la rotonda donde habíamos estado la noche anterior. Lo saludé con la mano en alto y fui hasta la ruta a verlo alejarse. Al volver a la pieza abrí el sobre que me había dejado pero sólo encontré una foto vieja. Era un chico de nueve o diez años, en guardapolvo, con ojos iguales a los de Lem y el pelo caído sobre la frente. Estaba solo en una vereda irreconocible. Llevaba una cartera del colegio y alguien le había pedido que sonriera. En una mano tenía un trompo partido por la mitad.

18

Antes de que se hiciera de noche salí a caminar a lo largo del alambrado. Con la lluvia habían vuelto las margaritas salvajes que asomaban apretadas entre los pastos, al borde del camino. Fui bastante lejos porque pensé que los chicos del Mercury querrían estar solos. Me demoré frente a la tranquera donde había escuchado el Réquiem y me senté en el puente a descansar un rato.

Apenas quedaba un hilo de sol en el horizonte cuando miré el reloj y me di cuenta de que no funcionaba. Tenía el vidrio roto y la humedad había opacado todo el cuadrante. Eso me entristeció porque era el único recuerdo que me quedaba de mi padre. Me lo saqué y lo guardé pensando que tal vez podría hacerlo arreglar cuando llegara a alguna parte. Me estaba deprimiendo y empecé a escarbar entre las cosas que más me dolían cuando escuché un ruido de cachivaches que se desparramaban por el suelo. Me volví y descubrí un tipo que arrastraba una valija enorme mientras juntaba algo entre los yuyos. Llevaba una manguera enrollada a la cintura, un prendedor con la cara de Perón y a medida que se acercaba cargaba el aire con un olor de perfume ordinario. Todo él era un error y allí, en el descampado, se notaba enseguida. No me veía y debía creer que estaba solo en toda la pampa porque dejó que se le escaparan los ruidos de la barriga y luego fue a orinar sobre el asfalto. Movía las piernas como balancines y tenía unos brazos largos que sobresalían de las mangas. El traje era holgado pero le faltaban casi todos los botones y el pantalón tenía unas rodilleras imposibles de planchar. Echó un vistazo a ambos lados de la ruta y se puso a hablar solo como para hacerse compañía. Me pareció que se transmitía un partido o algo así, mientras ordenaba las cosas que se le habían caído de la valija. Yo tenía ganas de prender un cigarrillo pero no quería que me viera para no crear una situación incómoda. Tampoco podía salir de allí sin pasar delante de él y eso me obligó a quedarme un largo rato sin moverme. Al fin, cuando el tipo se alejó un poco, me puse de pie y empecé a bordear el alambrado. De pronto tropecé con algo y me fui resbalando hasta el fondo de la cuneta. Eso hizo bastante ruido y al levantarme escuché que el tipo corría hacia mí. Prendí un cigarrillo, le di varias pitadas y busqué un claro para subir a la ruta. Me era imposible ver por dónde caminaba pero entre los yuyos distinguí los rollos de cobre que habían escondido los tipos de la moto. Quise alejarme pero ya era demasiado tarde. El grandote vino echando los bofes, se asomó desde la banquina y me preguntó si podía acercarlo hasta la entrada de Triunvirato.

—Mi socio tenía que venir a buscarme a las ocho —dijo—, pero le debe de haber pasado algo.

Subí resbalando, agarrándome de los arbustos, hasta que me tendió la mano y me levantó de un tirón. Tenía un bigote abundante y unos ojos pequeños como garbanzos.

—Estoy a pie —le dije—. Si no con mucho gusto.

—Pero lo pasan a buscar —insistió—, no lo van a dejar tirado con la mercadería.

Me pareció que no valía la pena aclarar nada. Estábamos ahí y era igual que creyera cualquier cosa.

—No sé qué hora es —le contesté—. Se me rompió el reloj.

Miró el suyo y me dijo que eran las nueve menos diez.

—Ese sí que es un buen negocio —señaló los postes sin hilos—. Yo tenía ganas de largarme a cortar por la zona de Bahía Blanca pero para eso hace falta una camioneta.

—Algunos se arreglan con una moto —le dije.

—Bueno, pero igual hay que tener capital. —La gomina que usaba era lo bastante sólida para aguantarle el pelo aplastado—: Hay que pasar lo peor, compañero. Si nos dejan trabajar a los privados vamos a salir adelante, mire toda la riqueza que tenemos...

Con un brazo abarcó todo el inmenso campo como si fuera suyo y después lo dejó caer sobre la manguera. Debía tener la fuerza de un camión para arrastrar todo eso.

—¿Hace mucho que anda por acá? —le pregunté.

—Tres o cuatro meses. Iba para Mendoza a dedo pero como no pasa nadie me fui quedando... Ahora me las rebusco por la zona.

—Eso debe ser incómodo, ¿no? —señalé la manguera.

—Y, sí. Dicen que ahora fabrican una que pesa menos que un pañuelo. En Japón todos se bañan con esto.

Fue hasta la valija y se puso a tironear de la cerradura pero no hubo caso. Estaba trabada y por más que la pateó no consiguió ningún resultado.

—Usted la abre y tiene una ducha extensible, ¿ve? La manguera se conecta en cualquier canilla o en la bomba del pozo.

—Ya veo. ¿Para qué la usa?

—Voy por las estancias bañando peones. Mi señora murió hace poco y tuve que dejar al pibe en Berazategui.

—Qué macana...

—Se quedó con el abuelo. Le tengo que mandar algo de plata, pero por ahora...

—Yo estoy parando en el Automóvil Club —le dije—. Si su socio no viene pase a tomar una cerveza.

—¿En el motel? ¡Carajo, trabajar así da gusto! Yo siempre digo que hay que modernizarse, que si el Estado nos deja a nosotros en un año se arregla todo. ¿Ustedes cuánto cable cortan por día?

—No sé, yo no me ocupo...

En ese momento me agarró de un brazo y señaló la ruta. Dos luces pequeñas como linternas se acercaban a los saltos.

—¡Un coche! —gritó y salió corriendo a disimular la valija—. ¡Escóndase que en una de esas para!

Me aparté y aproveché para irme por la otra banquina. El tipo salió al asfalto haciendo señas a medida que las luces se acercaban. Caminé un poco más y cuando escuché el ruido del motor me di vuelta a ver qué pasaba. El Citroën entró al pavimento pero hizo una gambeta y siguió de largo como si no hubiera visto nada. Yo conocía esos desplantes y por eso hubiera preferido que Nadia se parara a recogerlo.

19

Mientras me alejaba escuché al grandote que puteaba y empezaba a transmitirse un partido diferente al que le había escuchado antes. Pensé que eso lo ayudaba a matar el tiempo mientras esperaba que su socio pasara a buscarlo. Volví al motel para ver si los chicos estaban listos para seguir viaje pero ellos también habían salido a caminar. El empleado estaba comiendo un churrasco con ensalada; a lo mejor hacía planes para cuando se le vaciara el surtidor o simplemente se dejaba estar esperando que pasara algo. Debía haber cometido una falta grave para que lo hubiesen confinado ahí. Cada vez que veía el teléfono me sentía tentado de llamar a mi hija pero no estaba seguro de que quisiera escucharme después de tanto tiempo. Estaba cansado de llevarme puesto, como me había dicho Nadia, pero no tenía suficiente coraje para ir más lejos ni para volver atrás. Tal vez Coluccini había acertado cuando me recomendó que no apretara el freno y ahora sentía cierto placer en andar a la deriva, como las hojas que se caen de las plantas.

Saqué una silla de la pieza y me senté al fresco con una cerveza y una lata de sardinas. Lem había pagado por varias noches y si lo encontraba de nuevo seguiría pagando porque por alguna extraña razón necesitaba hacerlo. No creía una palabra de lo que me había dicho sobre el casino pero pensé que tendría sus motivos para contar eso y no otra cosa.

Sería medianoche cuando escuché una moto que pasaba sin luces por la ruta. Los chicos no habían vuelto todavía y me tiré en la cama a leer una de las novelas que me había dejado Lem. Más tarde, cuando el empleado apagó la luz, una mujer atravesó el patio gritando y fue a golpearle la puerta con las dos manos, como si tuviera urgencia. El tipo se hizo el sordo y entonces el reclamo se volvió más insistente. La mujer lo insultó y como no obtuvo respuesta empezó a tirar piedras contra la oficina. Durante un rato escuché un sollozo monótono que tenía más de despecho que de rabia. Por fin un vidrio saltó en pedazos y ella corrió por el patio tratándolo de cobarde hijo de puta, acusándolo de haber arruinado su vida y la de una tal Julia. El lugar estaba lleno de cascotes así que por precaución el tipo se quedó encerrado. Yo me dormí y me desperté un par de veces pero el calor y la discusión me quitaron el sueño. Estuve leyendo un rato sin poder concentrarme, temiendo que la mujer volviera. Fui a abrir la ventana para refrescar el cuarto y entonces entró una langosta marrón y seca como la que había visto en la cama de Lem. Fue a posarse sobre la lámpara, cerca del crucifijo y allá se quedó, tiesa, proyectando una sombra enorme y deformada sobre la página que yo estaba leyendo. Al principio no le presté atención pero al rato, mientras trataba de retomar la lectura, pegó un salto y me cayó bruscamente sobre la cara. Me di un susto bárbaro y cuando la aparté de un manotazo se fue por el mismo lugar por donde había venido. Quise volver al libro pero tenía algo metido en un ojo, una basura u otra cosa que me molestaba al parpadear.

Fui a mirarme al espejo pero la luz era débil y no vi nada. Aunque traté de limpiarme con el pañuelo fue inútil porque la mano me temblaba bastante. Me tiré otra vez en la cama y estuve contemplando los bichos que volaban alrededor de la lámpara. Habría pasado una hora o más cuando escuché que alguien andaba por el patio. Al fin me golpearon la puerta y el corazón me dio un vuelco como si estuviera esperando la visita de unos grandes ojos verdes. Me levanté de un salto y abrí la puerta sin fijarme que estaba casi desnudo.

—Disculpe compañero, pero mi socio me dejó de seña nomás.

El grandote había dejado la valija en el suelo y se pasaba un pañuelo por la frente. En la tapa había hecho pegar unas letras doradas que decían "Barrante la ducha al instante". Estaría orgulloso de la ocurrencia porque también la había puesto en las mangas de la camisa que llevaba cosidas al saco. Parecía un matambre con la manguera enrollada hasta el cuello. Me habrá notado la decepción en la cara porque hizo ademán de levantar la valija para retirarse. En el antebrazo llevaba un luto ancho y brilloso que no le había visto antes. Le dije que pasara a tomar una cerveza y miré hacia la explanada. Hubiera querido encontrar otra cosa pero sólo vi los reflejos plateados del Mercury.

20

—Me parece que caigo en mal momento —dijo Barrante y se quedó parado en el medio de la pieza. Otra vez me dio la sensación de que todo en él era un error. En los ojos pequeños tenía algo de ingenuidad pero también esa astucia del que anda solo y está preparado para cualquier cosa.

—No se preocupe. Estaba desvelado.

—También, con el escándalo que le hicieron.

—No, eso fue con el del Automóvil Club.

—Igual, lo noto bastante caído, compañero. Digo, si me permite la observación.

—Póngase cómodo.

Le señalé la silla y saqué un par de latas del bolso.

—No se imagina el tiempo que hace que no tomo una cerveza.

—Lástima que no esté fría —le dije—. ¿Tiene hora?

Miró un reloj de plástico del que colgaba una cadenita con la imagen de San Cayetano.

—Dos y veinte. Hace como media hora que estaba al otro lado de la ruta pero no me animaba a venir. No me gusta molestar, ¿sabe?

Se aflojó la manguera y me pidió permiso para sentarse en la cama. Estaba tan apretado que la sangre se le demoraba en la cara y le coloreaba la nariz y las mejillas.

—¿No quiere sacarse eso de encima?

—Es que todavía no sé adónde voy a desensillar esta noche —dijo, y miró la almohada.

—Si no ronca mucho se puede quedar acá. No creo que el tipo de la oficina venga a curiosear.

—¿En serio? —me miró un momento, entre contento y sorprendido—. ¿No quiere estar solo, compañero?

—Me da lo mismo.

—No sé... Me pareció que cuando llegué estaba... Qué sé yo, no hay que ser mujer para llorar, ¿no? A mí también me pasa a veces.

Me hizo sonreír. Sus noches no debían ser más fáciles que las mías.

—¿Lo dice por las lágrimas? Lo que pasa es que tengo una basura en el ojo.

—¿De verdad? —todavía me estaba estudiando—. ¿Quiere que eche un vistazo?

—Le agradezco.

Levantó la manguera por encima de la cabeza y se la sacó como si fuera un pulóver. Parecía agitado y fue a dejar el rollo en el suelo, abajo del lavatorio.

—A ver, ponga la cabeza en la almohada.

Lo dejé hacer porque el ojo me ardía como si tuviera una brasa incrustada. Encendió el velador y lo acercó mientras me abría los párpados con dos dedos rechonchos y sucios. Tenía un aliento amargo y unos dientes tapados de sarro amarillo. Todo lo que llevaba estaba hecho pedazos y el prendedor de Perón se le estaba por caer de la solapa.

—Ya lo veo —me dijo—. Yo de esto conozco, quédese tranquilo.

Tuve ganas de preguntarle qué gomina usaba pero no quería interrumpirle el trabajo. Trataba de hacer lo mejor que podía aunque llevaba caminados muchos kilómetros y debía tener los pies a la miseria. Arrastró la valija al lado de la cama y la abrió haciendo palanca con un pie. La flor de la ducha saltó a la altura de mi cabeza, impulsada por un sistema de caños que se imbricaban unos con otros, tirados por un resorte. Luego conectó la manguera en el lavatorio y vino a mirarme el ojo de nuevo.

—Ya la tengo, compañero —dijo, y abrió la canilla sin avisar.

La ducha tenía varios agujeros tapados y otros que apuntaban para cualquier parte y en un minuto enchastramos toda la pieza. Mantuve el párpado abierto todo el tiempo que pude mientras me lavaba el ojo y, a decir verdad, eso me alivió enseguida. Al cerrar la canilla parecía orgulloso como un bombero que ha cumplido con su deber.

—¿Qué tal? —se pavoneó mientras se apoyaba contra el marco de la puerta.

—Formidable —reconocí.

—Hasta espinas saco con esto —dijo—. Bichos ni qué hablar; agrego un poco de acaroína y no hay pulga que me aguante. Eso no figura en el manual, no se vaya a creer.

—Pura experiencia —dije para complacerlo.

—Experiencia y que me doy maña, compañero —se llevó un dedo a la frente—. ¡Si yo tuviera capital!

—Tome asiento.

—Me gané la cervecita, ¿no? —se mandó un trago y lamió las gotas que se le habían escapado por el borde de la lata. No sé qué le habrá pasado a mi socio. No es de faltar.

—Se le habrá quedado el coche.

—Puede ser. Tiene una batata imposible. Dígame, si no es indiscreción, ¿ustedes cuántos son?

—¿Quiénes?

—Los que levantan cable, digo. ¿No necesitarán otro?

—Yo no tengo nada que ver. Estaba ahí de casualidad.

—Oiga, no creerá que soy de la cana.

—No, le digo la verdad. Los del cobre eran dos chicos que andaban en moto.

—¡Eso es un negocio! Yo me estuve por largar cerca de Bahía Blanca.

—Ya me lo dijo. Le hace falta una camioneta.

—Un furgoncito, cualquier cosa para cargar... Vea, esta semana creo que comer, lo que se dice comer, comí dos veces. El jueves en Triunvirato y anteayer porque me invitaron unos tipos que andaban tocando música.

—Le puedo ofrecer una lata de sardinas. Creo que tengo caballa, también.

—Una sardinita me basta. ¿Entonces usted no está en el negocio?

—No, yo pasaba por ahí.

Parecía decepcionado. Sin decir nada se sacó los zapatos agujereados y estiró las piernas sobre la cama. De las medias sólo le quedaba la parte de arriba y tenía los pies tan hinchados que parecían zapallos.

—Debe andar la policía —dijo—, por eso mi socio no apareció.

Le pasé otra cerveza y se comió las sardinas de un bocado. Sin hacerme más caso se recostó y golpeó el colchón con las manos.

—Estoy harto de bañar paisanos —murmuró como para sí mismo.

—Usted es porteño, ¿no?

Asintió con una pizca de orgullo.

—De Floresta —dijo—. A tres cuadras de la cancha de All Boys.

—¿No consiguió otra cosa?

—¿Cómo? —preguntó, como si se despertara de golpe—. Otra cosa... Si tuviera plata me iría con mi socio pero no me quiero alejar del pibe. De vez en cuando le tengo que mandar algo ¿vio?

—¿Adónde va su socio?

—No sé. Un lugar donde hay iniciativa privada.

—Creí que usted tenía confianza en el país —dije, y le señale el prendedor.

—Confianza tengo pero hay que pasar lo peor. Qué sé yo, si en vez de una ducha tuviera diez me pongo una empresita. Usted me vio trabajar, ¿no? Yo soy una persona seria. Me consigo diez paraguayos y en un año salgo a flote.

—¿No la está haciendo demasiado fácil?

—No. Tome por caso el cura que lleva mi socio: les da misa a los paisanos, los casa, los bautiza, les lee la Biblia, que sé yo... No da abasto. Ya tomó dos empleados para cubrir toda la zona y levanta cualquier plata.

—¿Un cura en serio?

—Auténtico. Un curita que se independizó y ahora tiene su empresa. Fíjese que está anotado en un plan para comprar un Renault 12.

—Lo van a meter preso.

—No, si lleva la sotana y todo. Los ayudantes son truchos pero es a riesgo de ellos, siempre les dice.

—¿Ellos también dicen misa?

—No sé. Creo que echan al diablo de los ranchos y desembrujan a las mujeres, o algo así. El cura les enseña. A mí me propuso, pero necesito la sotana. Parece que son carísimas.

—¿Qué le parece si dormimos un rato?

—A sus órdenes.

No dijo nada más. Se estiró en la cama con la cara hacia la pared y se quedó dormido en un santiamén. A mí me costó un poco más. Cerré la puerta, apagué las luces y me puse a pensar que había hecho más relaciones en esos días que en todos los años que viví en Europa.

21

Boris me despertó para invitarme a almorzar. Golpeó la ventana y me hizo un gesto acercando la mano a la boca, avisándome que tenían algo rico para comer. Barrante se había ido temprano y sobre la mesa de luz me dejó un pedazo de cartulina con su eslogan y una palabra de agradecimiento. Me lavé y me afeité contento por haber dormido bien y porque el ojo ya no me molestaba.

Los chicos encontraron carbón cerca del surtidor y Boris cuidaba la parrilla donde se estaba dorando una mulita con caparazón y todo. Rita me dio la mano como a un extraño y me contó que el empleado del Automóvil Club estaba atrincherado en la oficina, con una escopeta cargada y provisiones para varios días pero que se podía ir a parlamentar con él.

—Hay dos mujeres que vienen a tirarle piedras —dijo—. Julia es la más simpática.

—¿Es por la huelga?

—No —sonrió como si yo no pudiera entender—. Son penas de amor.

—Así me sonaba anoche —le dije.

Se quedó un momento en silencio, mirando las brasas.

—Si quiere hablar con él acérquese con un pañuelo en la mano. No se fía de nadie.

—Ni pienso. ¿Salieron a cazar?

—Eso es mucho decir —señaló la mulita—. Una vez que salen de la cueva es fácil agarrarlas.

Boris acercó unas brasas y me indicó el campo al otro lado de la ruta. Juntó los dedos de las manos y trazó una línea en el horizonte para contarme que había muchas por los trigales.

—¿Cargaron nafta? —les pregunté.

Boris asintió y con una mueca me advirtió que algo no andaba bien en el coche.

—La caja de cambios no funciona —me dijo Rita—, pero parece que se puede arreglar.

—No entra la cuarta —arriesgué.

—Sí, creo que es eso. ¿Usted sabe de mecánica?

—No, era una suposición, nada más. ¿Boris puede escucharnos?

El chico levantó la mirada y me hizo seña de que hablara tranquilo. Le sonreí, desilusionado, y no supe qué decir. Lo que más me perturbaba de Rita eran sus ojos de un verde distinto a todos los que yo conocía. Y alrededor nuestro casi todo era verde. Quizá no era más que una chica bonita y yo la idealizaba porque me sentía incapaz de seducirla. De pronto me oí decir en voz alta, sin querer:

—Yo estoy de paso, nomás.

Los dos me observaron al mismo tiempo y luego cambiaron una mirada incómoda. Me acordé de Barrante, que se transmitía partidos, y cambié de conversación; les pregunté si habían visto salir al tipo de la valija.

—Tomó por el medio del campo —dijo Rita—, por allá.

Miré hacia donde apuntaba con el dedo, al otro lado del alambrado, pero no había más que una inmensidad chata y desolada. Cualquiera de los puntos inmóviles que veía en el horizonte podía ser Barrante. Boris hizo la mímica para comentar que la valija parecía muy pesada. Después probó un pedazo de carne y nos hizo entender que estaba a punto. Rita trajo unas galletas marineras y lamentó que no hubiera nada para tomar. Me acordé de que me quedaban unas cervezas y me paré para ir a buscarlas. Mientras atravesaba la explanada, el empleado se asomó a la banderola del baño y me exigió que me identificara. Le grité que era yo y cuando me reconoció la voz me dijo que podía pasar. Desde la ventana de la habitación vi los caños de la escopeta que se movían de un lado para otro como prismáticos en alerta. Volví a pasar con las cervezas, sin hacer ningún gesto, y cuando me insistió con la identificación lo mandé al carajo y le pregunté si podía venderme algo fresco. La escopeta dejó de moverse y el tipo tardó un rato en reaccionar.

—¡Antes identifíquese! —me gritó.

Le repetí el nombre y me preguntó si no tenía a nadie guardado en la pieza. Abrí la puerta para mostrarle que no y me dijo que le dejara la plata sobre la mesa de la oficina. Fui con el pañuelo en la mano, como me había dicho Rita y le dejé una cantidad que me pareció suficiente. Al rato, a través de la banderola, volaron dos cartones de vino que Boris fue a recoger con los brazos en alto como si estuviera en una película del Oeste.

—Por lo menos no está loco —comentó Rita y cuando la miré desconcertado me hizo una sonrisa.

Tuvimos un almuerzo opíparo con vino ordinario pero bien frío y hablamos del viaje. Boris tenía montones de fotos de Cleveland recortadas de revistas extranjeras, y cuando la mulita se terminó nos contó una larga historia de la que sólo entendí algunos gestos. Era un tipo simpático, sobre todo cuando había tomado unos tragos, y ella lo respetaba lo suficiente como para no traducirme nada. No usaba el lenguaje de los sordomudos sino uno propio que no era cómico ni vulgar. Tal vez lo había inventado para Rita y si era así quedaba claro que había valido la pena. Yo estaba convencido de que era capaz de hablar pero no me importaba averiguar por qué no lo hacía. Comprendí que iba a arreglar la caja de cambios por la tarde y que al día siguiente saldríamos a buscar la Panamericana. Le dije que me parecía bien y que estaba a su disposición.

Rita guardó el vino y le dijo a Boris que tenía ganas de dormir la siesta. Yo lo interpreté como una invitación a alejarme y fui a la pieza a leer un rato. Desde allí podía ver los caños de la escopeta que seguían vigilando todo el campo y también el Mercury, al que le habían puesto unas cortinas de papel. Pasé unas horas metido en el libro y después me senté un momento a mirar la pared. Al rato escuché unos gemidos que venían del Mercury. Esos murmullos eran para mí, pero el empleado se asustó y se asomó por la banderola que tenía el vidrio roto. Movió la escopeta como buscando el blanco y por las dudas yo me agaché para ir a cerrar la cortina. Me quedé sentado en el suelo y empecé a masturbarme sin ganas, pensando que definitivamente lo mío era Nadia con el Citroën dando vueltas por ahí, Lem con la manía del casino y Barrante que soñaba con la iniciativa privada. Para concentrarme tuve que imaginarla a Rita y eso fue lo que más me humilló porque ella seguía en el Mercury y sabía lo que yo estaba haciendo.

22

A la caída del sol salí a caminar para evitar otro encuentro con los chicos. Fui hasta la rotonda y de allí al restaurante donde había cenado con Lem.

Pedí que me calentaran unas empanadas y les pregunté a unos camioneros cómo tenía que hacer para llegar a la Panamericana. Estaban comiendo fideos con estofado y al ver que me acercaba a la mesa me miraron como a un loco. Uno de ellos me dio las mismas indicaciones que el empleado del Automóvil Club pero me dijo que la ruta a Las Flores estaba en reparación y que me convenía dar un rodeo por detrás de Colonia Vela. No me prestaron mucha atención y en cuanto las empanadas estuvieron listas me fui a comerlas a la sombra de un árbol.

Al regresar al motel vi que el Mercury seguía con las cortinas cerradas pero al pasar escuché la voz de Rita que protestaba en voz baja. Avancé hacia mi pieza carraspeando fuerte para que el empleado no se confundiera pero igual me dio la voz de alto. Saqué el pañuelo, le recordé quién era y me dijo que podía pasar. Me estaba desacostumbrando a las caminatas y las várices se me habían hinchado bastante. Abrí la ventana, me tiré en la cama con la luz apagada y prendí un cigarrillo.

Los piedrazos empezaron un poco después aunque esta vez no había discusiones ni llanto. Era un ruido desconcertante de cascotes que se estrellaban contra la pared. Un acoso más metódico que el de la noche anterior, más sordo y opresivo. La mujer corría en torno a la casa y de tanto en tanto pasaba delante de mi ventana, resollando. El empleado la llamaba "mi Julia" y le suplicaba que se volviera a Corrientes y que lo dejara vivir en paz. Hubo un momento difícil cuando mencionó a la otra, que se llamaba Ana; eso despertó algún mal recuerdo que los tres debían compartir desde hacía mucho. Julia le respondió que lo iba a perseguir hasta el fin del mundo y ahí escuché el ruido del cargador que montaba los cartuchos. Fue un clic-clac seco, que me golpeó en el estómago. Julia se aplastó contra mi puerta, en la oscuridad, y sin levantar mucho la voz le dije que entrara. Ni siquiera me contestó: la vi deslizarse frente a la ventana y supuse que había ido a buscar más piedras. El tipo la perdió de vista y empezó a llamarla, a decirle piropos tontos como si estuvieran en un baile. Le habló un rato en guaraní tratando de acariciarle los oídos, de conmoverla un poco, pero a medida que hacía el monólogo lo empezó a ganar una melancolía pastosa, aburrida. Encendí el velador para sacarme la ropa y en ese momento escuché un piedrazo y después otro. El tipo se puso a aullar como un perro lastimado mientras golpeaba la escopeta contra la pared. No era llanto sino un quejido de animal acorralado y listo para saltar. Decidí que esa era la última noche que pasaba allí y busqué una birome para dejarle un mensaje a Lem. Había empezado a escribir cuando me pareció oír el relato atropellado de un partido de fútbol. Me paré de un salto y apagué el velador para que Barrante no se acercara pero todo ocurrió muy rápido. El ventanuco del empleado no se veía desde la ruta y aunque el tipo gritó lo de la identificación Barrante encaró derecho para mi pieza sosteniendo la valija enorme, pasándose una mano sobre el pelo achatado por la gomina. En ese momento Julia salió corriendo y oí el disparo que dejó un eco largo y perezoso; Barrante apoyó la valija en el suelo, me miró como disculpándose y sacó el pañuelo para secarse la frente. Todavía no entendía lo que le pasaba: el pañuelo se le deslizó de la mano y cuando se movió para atraparlo perdió el equilibrio. Yo nunca había visto alguien que cayera tan despacio. La manguera le sujetaba la cintura y lo mantenía derecho así que tuvo tiempo de mirar a su alrededor y de decirme que su socio seguía sin aparecer. Iba a contestarle que no se preocupara pero dio un paso en falso y empezó a desmoronarse, un poco avergonzado por el espectáculo que estaba dando. Rita y Boris vinieron corriendo y se mantuvieron a distancia, pensando que los tiros podían seguir. El empleado se puso a gritar y a lamentarse pero todos mirábamos a Barrante que dobló las rodillas como un caballo cansado y cayó sobre la valija con la misma sonrisa amable con la que debía presentarse en las estancias. Le levanté la cabeza y me preguntó qué había pasado tratándome de compañero, como las otras veces. Le aflojé la manguera para que respirara mejor y le prendí un cigarrillo. Recién entonces descubrí que atrás de la oreja tenía dos agujeros tan pequeños como los de la ducha.

—Justo había dejado de fumar —me dijo—. Al precio que están...

Luego se quedó mirando el cielo con desinterés. Imaginé que estaba calculando cómo hacerse de capital para montar su empresa o tal vez se acordaba del pibe que había dejado en Berazategui.

—Lo llevo a la cama, ¿quiere? —le pregunté.

—No se moleste. Con el calor que hace...

Pitaba el cigarrillo sin sacarlo de los labios y la ceniza le cayó sobre la solapa. La gomina había aguantado el cimbronazo y el olor del perfume barato seguía allí, pero el prendedor de Perón se había perdido en el camino. Miró la ducha y me pidió que se la guardara en la pieza porque tenía que salir a trabajar muy temprano. Le dije que lo haría y fui a la oficina para pedir ayuda.

—¿Qué ruta es? —me preguntó la telefonista.

—No sé, un Automóvil Club, cerca de Junta Grande.

—¿Dónde queda eso?

—Hay una rotonda al lado —le dije—. Yo vengo de Triunvirato.

—Desconozco. ¿Está seguro de que el lugar se llama así?

Le rogué que buscara en la guía o que avisara a un hospital y volví al patio. En ese momento Boris se sacaba la campera y la echaba sobre la cara de Barrante. Rita vino a decirme que el empleado se había escapado por la puerta de atrás llevándose la escopeta.

—Lloraba mucho —agregó, apenada.

Le pedí a Boris que me ayudara a llevar el cuerpo a la oficina pero me dio a entender que sería mejor si la policía lo encontraba en el mismo lugar donde había caído.

—A ver si creen que lo matamos nosotros —agregó Rita, y aunque sólo se alejó unos metros yo sentí que se me iba para siempre. Levanté la campera, se la arrojé a Boris y les dije que se fueran a dormir. En cuanto me quedé solo saqué una silla y me senté a fumar junto a la baranda, cerca de Barrante. Desde ahí vi el prendedor tirado en el suelo. Por la manguera corría un hilo de agua y me pregunté si a alguien le importaría saber que estaba muerto; si allá en Berazategui lo llorarían aunque fuera un minuto. Estaba seguro de que la ambulancia no iba a venir, ni la policía ni nadie, pero igual no tenía ganas de irme a dormir. Alrededor le volaban dos moscardones ruidosos que después se fueron a dar vueltas por la lámpara de mi pieza. Me tomé la cerveza que quedaba y después busqué el vino que había sobrado del mediodía. La noche era apacible y los chicos se durmieron como si no hubiera pasado nada. Al volver recogí el prendedor y se lo puse en un bolsillo. Para entonces la gomina se le había aflojado y ya tenía cara de muerto sin remedio.

Estaba empezando a dormitar en la silla cuando escuché el teléfono que sonaba en la oficina. Pensé que al fin nos habían encontrado y fui a atender aunque no me gustaba la idea de que alguien viniera a cruzarse en nuestro camino. Respondí y al escuchar la voz de Lem me sentí menos solo. Me llamaba para contarme que ya había empezado a ganar y quería que le confirmara que nuestro acuerdo seguía en pie. Le dije que sí, aunque ya no recordaba muy bien de qué se trataba.

—Lo espero en la ruta, entonces.

—Quédese tranquilo.

—No se haga mala sangre por mí.

—Si me dice que está ganando...

—Pase lo que pase yo ya gané, ¿me sigue?

—Creo que sí —le dije, pero estaba borracho y no había entendido nada.

23

El Mercury salió de noche con los faroles apagados. Los chicos estuvieron deliberando un rato largo, porque escuché a Rita que hablaba en voz baja, en distintos tonos. Quizá llegaron a la conclusión de que se estaban metiendo en un lío y se fueron sin decirme nada. La bebida me había caído mal y por un momento pensé que todo había sido un sueño pero cuando me puse de pie vi que Barrante seguía allí, más tieso y abandonado que nunca. El amanecer le daba a la llanura un tono lechoso y ese era el momento del día que más me inquietaba. Saqué una frazada para Barrante y le hice un discurso bastante largo sobre los inconvenientes de la economía de libre mercado. Cuando terminé fui a vomitar y me acosté en el sillón de la oficina.

Debo haber dormido como dos días seguidos porque cuando me despertaron era el atardecer y estaba empezando a caer una garúa ligera. No los escuché llegar, pero al abrir los ojos encontré un cura con un escarbadientes en la boca que me observaba a través del vidrio. Me levanté a los tumbos y vi que se sacaba la sotana y entraba al baño del taller. Me miré en el vidrio del mapa y encontré la cara de un boxeador al borde del nocaut. Fui a meter la cabeza en la pileta de la cocina y desde allí escuché que alguien le daba patadas al surtidor. Durante un rato no supe quién era yo ni dónde estaba, pero poco a poco me hice una idea. Saqué una Coca Cola de la heladera y me la tomé de un trago. No bien salí al patio reconocí el Gordini todo emparchado, con las valijas sobre el techo y de inmediato escuché la voz de Coluccini que gritaba "¡L'avventura è finita!" mientras seguía pateando el surtidor.

Al principio no me reconoció y trató de conducirse como un ciudadano ejemplar. Llevaba los mismos anteojos descascarados y un saco demasiado estrecho para ese físico. Me pareció que estaba un poco más viejo pero sería el polvo de la ruta que le blanqueaba el pelo.

—Il pieno, ragazzo —me dijo y sacó el fajo que llevaba preparado en el bolsillo. Yo me quedé mirándolo, con un hombro apoyado en el parante que sostenía el tinglado, mientras el cura salía de la letrina abrochándose la bragueta.

—Non mi dica que non ha più nafta! —protestó el gordo, impaciente.

—Yo lo hacía en Bolivia —le dije y eso lo sorprendió un poco. Se puso los anteojos y me dedicó un momento de atención pero no era fácil agarrarlo desprevenido.

—Justamente, estoy buscando la salida —respondió con un suspiro y cambió de anteojos mientras se dirigía al cura que estaba abriendo la tapa del motor.

—A este caballero lo tengo visto de alguna parte.

Como no me había podido impresionar se le olvidó el italiano. El cura era un tipo grande y musculoso que estaba mirando a ver si encontraba algo que pudiera llevarse sin pagar.

—¿No hay nafta? —me preguntó medio prepotente, con una mirada de pocos amigos.

—Como haber, hay —le dije y empecé a acordarme de la historia que me había contado Barrante.

—Entonces métale que se viene la lluvia —me dijo.

—El señor me dio una mano para salir de Ranchos —intervino el gordo—. ¿Así que ahora trabaja en el Automóvil Club?

—No fue en Ranchos —le dije—. ¿Por casualidad usted no tiene un socio al que debía pasar a buscar?

—Sí señor, allá vamos. Lo que pasa es que rompí una punta de eje y el padre se demoró con un enfermo.

—Ya no tiene apuro —le señalé el bulto tirado en el patio. La frazada se estaba mojando y tomaba la forma de un cuerpo destartalado. El gordo me dirigió una mirada intranquila y le dio un beso a la medallita que llevaba al cuello.

—¡No me diga que pasó una desgracia! —gritó y se agarró la cabeza.

—Le va a tener que avisar a la familia.

—No, si apenas lo conozco. ¿Es el pibe de la ducha?

—Me dijo que era su socio.

—Socio... Yo lo pasaba a buscar, nada más. Me debía tres viajes.

—Tenía una alta opinión de usted.

—Yo le dije que tuviera cuidado donde se metía —dijo el cura y escupió el escarbadientes—. El campo está plagado de malandras.

—Habría que acercarlo a un cementerio —comenté.

—¿Qué le pasó? —preguntó Coluccini—. Mujeres, seguro.

—Había una, pero fue un error.

—¿Avisó a la policía? —se inquietó el cura.

—No, no va a venir nadie.

—¡Porca miseria, ya no queda ni dónde caerse muerto! —rezongó el gordo—. Vaya, dele la extradición, Salinas.

—Extremaunción —corrigió el cura—. No es eso lo que corresponde. ¿Dónde lo van a sepultar?

—Acá, donde el amigo diga. Yo ya no tengo edad para agarrar la pala.

—Cerca del alambrado —propuse.

El gordo me acompañó a buscar las herramientas y empecé a cavar un pozo. Sobre el techo del motel había varios caranchos que vigilaban y aunque les tiré unos cascotazos ni siquiera se movieron. Coluccini se puso un sombrero y me trajo un par de mates mientras el cura se lavaba en el piletón de la estación de servicio.

—Me estaba quedando sin recursos —me contó—, entonces tuve que asociarme con estos muchachos para trabajar un tiempito por la zona. Los llevo a las estancias y después los paso a buscar. Me pagan un fijo que no es gran cosa pero pronto voy a poder seguir viaje si Dios quiere. Y usted, ¿encontró petróleo?

—No precisamente. Tengo un socio que va a hacer saltar la banca en el casino.

—¡Pavadas!

—¿A usted le parece que puede haber un casino por acá cerca?

—Puede ser. Salinas fue a hacer exorcismo a una estancia donde había una pista de Fórmula Uno y un prostíbulo con putas francesas.

—¿Salinas es cura de verdad?

—No sé, vea, eso no es cosa mía; con el latín se las rebusca bastante bien.

Mientras el gordo cebaba otro mate me fijé en Salinas que estaba secándose con un toallón al lado del Gordini. Había dejado la sotana colgando del surtidor y silbaba *Madreselvas*. Andaría por los treinta y cinco años pero tenía poco pelo y parecía más viejo. No se ocupaba de nosotros: abrió un portafolios en el que llevaba de todo y estuvo acicalándose como si se preparara para bendecir una catedral. A mí se me embarraban los pies a medida que el agua se juntaba en el hueco y de pronto me vino miedo de morirme allí. Era un temor indefinible que recién se me pasó cuando Coluccini se acercó con el mate y me habló de algo que no entendí. Me di cuenta de que estaba temblando y para olvidarlo le dije que me ayudara a acercar el cuerpo de Barrante. El cura se hacía el que no escuchaba pero el gordo insistió con lo de la extradición y consiguió hacerlo enojar.

—Eso es para cuando se están muriendo —le dijo Salinas—, ahora no hay más nada que hacer. Ya está con Dios.

—Un Padre Nuestro no le vendría mal —dijo Coluccini y le alcanzó la sotana. Salinas se vistió, sacó una Biblia o algo parecido y vino a pararse al lado de la tumba. No parecía muy entusiasmado pero se hizo la señal de la cruz y me dio un reto por no haberle cerrado los ojos al difunto. Admití que tenía razón y le pedí a Coluccini que lo levantara de los hombros para desenrollarle la manguera. Entre los dos estuvimos dándolo vuelta, resbalándonos en el pedregullo mientras Salinas rezaba con voz grandilocuente y hacía cruces bajo la tormenta. Sin el envoltorio Barrante se reveló flaco como un tallarín y recién en ese momento me di cuenta de que no bromeaba cuando me dijo que comía muy salteado. En el forcejeo perdió lo que le quedaba de la camisa y también el cierre del pantalón. Coluccini se agachó a revisarle los bolsillos y desde allí abajo le habló al cura.

—Vea, padre, no quisiera ofender pero el difunto me debía un par de viajes y si usted me permite creo que le convendría presentarse a Dios con todas las deudas pagadas, ¿o me equivoco?

—Si no hay herederos... —dijo Salinas.

El gordo encontró unos pesos sueltos, el prendedor, una billetera con el DNI y unas fotos de familia. Se guardó todo en el bolsillo del saco y después me hizo una seña para que lo echáramos al pozo. El cura leyó unos versículos que no tenían nada que ver con la ceremonia y empujó un poco de tierra con el zapato. Coluccini tiró la primera palada pero estaba tan agitado que le pedí que me dejara hacer a mí.

—No señor —me contesó—. Era mi socio y un socio, aunque más no sea al treinta por ciento, tiene una obligación de amistad.

Se quitó el saco y tardó un buen rato en tapar el pozo. El pecho le batía fuerte y hasta parecía emocionado. Mucho antes de terminar el cura nos había dejado para ponerse a salvo de la lluvia.

—Pobre pibe —dijo Coluccini—. Siempre la liga el más infeliz.

24

A la hora de cenar Salinas salió con el Gordini y prometió traernos algo para comer. Coluccini vino a mi pieza, desplegó sobre la cama un mapa de la provincia de Buenos Aires y después de recorrerlo con la vista puso un dedo cerca de la frontera con Río Negro.

—Para mí que estamos por acá —dijo.

—¿Qué le hace pensar eso?

—Usted iba para el sur, ¿no?

—¿Y eso qué tiene que ver?

—Este es el sur —golpeó la hoja con el dedo.

—Cambié varias veces de ruta —le dije.

—Cómo, ¿no iba a buscar petróleo?

—Pensaba ir a Neuquén, lo del petróleo lo dijo usted.

—Es verdad, me confundo con Barrante que iba para Mendoza. Oiga, si quiere trabajar con la ducha métale nomás. Creo que el pibe ya la había terminado de pagar.

—Le agradezco. ¿Usted qué ruta hace?

—Ahora la del cura, pero dentro de una semana ya me largo solo, Zárate. ¿Su socio no necesitará que lo vayan a buscar? A la salida de los casinos está lleno de mafiosos.

—Zárate está en Australia.

—Déjeme que lo llame así. Sin ofender, Zárate es un tipo extraordinario.

—Me dijo que se había escapado con su mujer y los chicos.

—¿Qué tiene de malo? No digo que se escapó, digo que se fue.

—Está bien, llámeme como quiera.

—¿Su socio necesita que lo busquen?

—Tiene auto.

—Ah, ¡tener movilidad hoy en día es fundamental! Si yo pudiera meter la cuarta ya estaría en La Paz.

—¿Tiene negocios allá?

—Llevo videos especiales. Triple Equis, que le dicen. Ahora el negocio está en la selva.

—Debe ser un lugar peligroso.

—No, ellos ya entraron en el siglo veintiuno. No se puede comparar, acá estamos en el culo del mundo.

—Barrante era optimista.

—Ahora que lo dice... Me guardé unos pesos que no son míos. Mire...

Buscó en un bolsillo y puso sobre la mesa todo lo que había sido del grandote. La billetera, el prendedor y unos billetes arrugados. Entonces me acordé que lo habíamos enterrado con el reloj puesto.

—Vea, a mí me debía cien mil australes y acá hay como trescientos mil. No sé si tenía deudas con usted.

—No, yo apenas lo conocía.

—¿Por qué no le manda la plata a la familia, ¿quiere? Usted debe saber escribir una carta.

—¿Y dónde voy a encontrar un correo para despacharla?

—No sé, se la puede dar a un camionero que pase para Buenos Aires.

—Si le parece...

—Digo, para que no lo sigan esperando.

—¿Lo haría por mí también?

—Usted no es mi socio.

—Pero me puso el nombre de Zárate, ¿no?

—Eso es verdad. ¡Oiga, no sea pájaro de mal agüero! Usted va a encontrar petróleo y yo voy a llegar a Bolivia.

—De acuerdo. ¿Qué hago si encuentro petróleo?

—Lo vende enseguida. No se meta en problemas. Un primo mío encontró un tesoro en las sierras de Córdoba y casi se arruina.

—¿Qué tipo de tesoro?

—Una bolsa de plata que era de un banco. Diez mil millones de los más viejos pero cuando los quiso cambiar no valían nada y encima casi lo meten preso.

—Eso sí que es tener mala suerte.

—¡Mala suerte! Un país en el que es al pedo encontrar un tesoro no es un país serio, Zárate. Yo sé lo que le digo. Yo perdí el circo en menos de un año, tuve que vender el león...

—No se amargue.

—La carpa se la quedó un predicador de La Boca, ¿a usted le parece?

—Tal vez no había puesto al día el espectáculo...

—¿Ah no? Los videos, ¿de dónde se cree que los saqué? Es lo único que alcancé a salvar.

—En Bolivia no están mejor, lamento decirle.

—Eso es una escala, Zárate, yo voy más lejos.

—Y el cura ese, ¿adónde va?

—Salinas se está llenando de oro. No se imagina el éxito que tiene con los sermones... El asunto ese del rico que pasa por el ojo de la aguja los vuelve locos a los estancieros.

—No, hombre, no pasa.

—¿Cómo que no pasa? El cura este los hace pasar cuando se le da la gana. Les pone jabón, vaselina, qué sé yo, la cosa es que los tipos pasan por el agujero y se van al cielo. Parece que en las misas lo ovacionan de pie.

—Barrante me dijo que tiene dos empleados.

—Es que no da abasto. Ahora se va a hacer la temporada a Punta del Este.

—No se puede quejar, usted tiene el treinta por ciento de eso.

—No, era con Barrante que tenía el treinta. Este me da un fijo por día y recién me paga el sábado.

—Si mañana me acerca a la rotonda yo sigo camino.

—¿Ya? ¿Qué apuro tiene?

—Mi socio vuelve del casino.

—Vea, no quiero amargarlo pero lo del casino me parece un globo.

—¿Qué más da? Igual hay que seguir caminando.

—Sí, pero es más fácil cuando uno sabe adónde va. Yo voy a La Paz, Bolivia.

—¿De verdad?

—¿Por qué duda, Zárate? ¡Nos tiene que ir mejor, carajo!

—No es que dude pero usted está demasiado gordo para pasar por el ojo de una aguja.

Dio un portazo y salió al patio. Al rato escuché que pateaba de nuevo el surtidor. Lo miré por la ventana mientras enderezaba un alambre que encontró tirado en el suelo y lo metía por una ranura del contador. En un abrir y cerrar de ojos le encontró la vuelta y la nafta empezó a salir a chorros por la manguera.

25

Salinas volvió de madrugada con otros dos tipos vestidos de sotana y Coluccini les hizo un escándalo porque le habían usado el coche sin permiso. Estaban tan borrachos y alegres que no le hicieron caso; uno de ellos, muy rubio, se subió al capó del Gordini y nos dio la absolución a todos en un lenguaje bastante grosero. Salinas lo retó y lo ayudó a bajar mientras el otro, un petiso morrudo, sacaba una pelota del coche y se ponía a patear contra la pared de mi pieza.

Yo tenía el sueño cambiado y me daba igual dormir de día o de noche. Crucé el patio hasta el piletón y me di un baño mientras los otros se sacaban las sotanas para marcar los arcos y hacer un picado. La pelota pasó un par de veces sobre la tierra que cubría a Barrante pero ni Salinas ni Coluccini dijeron nada. El petiso, que era bastante rápido, pedía la pelota y ordenaba el juego en una jerigonza bastante parecida al latín. Coluccini se puso al arco y hasta hizo unas cuantas zambullidas. Cada vez que tiraba se quedaba en el suelo un rato largo, inmóvil como una tortuga patas para arriba. Los otros se reían a carcajadas y no se daban cuenta de que el gordo aprovechaba para revisarles los bolsillos de las sotanas. Al cabo de tres o cuatro revolcones debió encontrar algo interesante porque cuando pasé a su lado me avisó en voz baja que estuviera listo y lo esperara en el coche.

Saqué el bolso y por las dudas me acerqué al Gordini. Al rato los curas se cansaron y el petiso se puso a vomitar contra la puerta de mi pieza. Coluccini les dio un reto amistoso y los mandó a dormir mientras juntaba las sotanas y las confundía a todas en un solo bollo que dejó en la oficina. Salinas se tiró en mi cama y trató de hacer callar al rubio que declamaba un Ora pro nobis mientras se sacaba los pantalones y las medias. El petiso hacía arcadas con los dedos en la boca y aunque apenas se tenía en pie caminaba para la oficina. Coluccini se vino para el piletón desabrochándose la camisa, como quien va a lavarse, y me hizo una seña para que subiera al auto.

Abrí la puerta con cuidado, rogando que todo saliera bien y me tiré en el asiento. El gordo corrió y se puso al volante, agitado y sudoroso. Antes de que los otros pudieran reaccionar arrancó marcha atrás, salpicando pedregullo. El petiso escuchó el motor y salió al patio revoleando la sotana, gritando que le faltaba la billetera y Salinas saltó de la cama en calzoncillos, como si hubiera visto al diablo. Coluccini esquivó el parante del tinglado, siguió unos metros de culata y justo cuando los tres se nos venían encima puso la primera y enfiló para la ruta. Salinas nos corrió a la par, puteando, tratándonos de ladrones y de mal paridos. Ni bien nos alejamos un poco saqué el brazo por la ventanilla y le hice un corte de manga. —¡Vaffan' culo! —gritó Coluccini—. ¡A llorar a la iglesia!

Teníamos el sol de frente y me pidió que le alcanzara los anteojos negros de la guantera. Dos veces quiso poner la cuarta pero el cambio saltó con un ruido de bolilleros masacrados.

—¡Ahora sí —gritó mientras le tiraba besos a la medallita—, que me suelten los galgos!

—Usted siempre se va de apuro —le dije y no pude contener la risa.

—No me quedaba otra, Zárate. A ver, fíjese acá.

Me alcanzó una hoja de cuaderno doblada en cuatro. La alisé contra el tablero y vi el dibujo hecho con birome azul. Era un camino que terminaba en una estación y una flecha señalaba dos vías que se juntaban al lado de una señal.

—Es eso, ¿no? —me preguntó ansioso—. ¿Es el plano del tesoro?

—Parece que sí. ¿Y la billetera del petiso?

—Monedas para el viaje. ¡Mascalzone! —golpeó la mano contra el volante—. ¡Me pagaba un fijo como si esto fuera un colectivo! ¿Tenían teléfono ahí?

—Sí, pero no hay peligro. ¿Es el tesoro de la sacristía?

—Dólares, seguro. En una de esas algo más. Al final Dios recompensa, Zárate. Nunca hay que entregarse. ¿Sabe lo que vamos a hacer?

—Ir presos. Tarde o temprano.

—No, hombre. Cuando desenterremos el tesoro le hacemos poner la cuarta al coche y salimos para La Paz. ¿O usted prefiere Santa Cruz?

—Me da lo mismo. Pero antes tengo que encontrarme con mi socio.

—¡Su socio! ¿Quién carajo es su socio?

Saqué la foto que me había dejado Lem y se la alcancé. Apartó los lentes, le echó un vistazo de reojo y me la devolvió, decepcionado.

—¿No tiene una más actual?

—Es lo único que me dejó.

—Discúlpeme pero ese tipo viene perdiendo desde pibe —me señaló el trompo roto que Lem llevaba en la mano—. No se puede confiar en gente así, Zárate. Acuérdese lo que le pasó en Venado Tuerto.

—No recuerdo haber estado en Venado Tuerto.

—Sí señor. Recién habíamos comprado la carpa y usted alquiló la plaza del pueblo. Arregló veinte por ciento con los milicos y al final tuvimos que pagar el ochenta y dejar la jirafa.

—¿Por qué tuvimos que dejar la jirafa?

—Se la quedó la amante del coronel; usted siempre hizo malos negocios. Por eso le digo: guarda con el tipo ese.

—Es un compromiso que tengo.

—Usted sabrá. ¿Por dónde empezamos?

—No hay mucho para elegir. Si en alguna parte existe una estación, debe ser en Junta Grande. El cura no podía ir muy lejos de a pie, ¿no?

—Yo lo dejaba en una rotonda, acá cerca.

—¿Nunca entró al pueblo?

—No, no quise arriesgarme. Mire si la policía me hace abrir las valijas.

—Hay que empezar por ahí.

—Está bien, pero si nos paran las valijas son suyas, Zárate. Como aquella vez en Cinco Saltos.

—¿Qué nos pasó en Cinco Saltos?

—Usted se hizo cargo de la deuda y yo me escapé con el circo.

—Me metieron preso, seguro.

—Era insolvente, ¿qué le podía pasar? Al mes lo largaron.

—Está bien. Ahora soy viajante de películas y voy para Olavarría, ¿de acuerdo?

—Mar del Plata suena mejor, Zárate. Digo, no sé; yo lo levanté en la ruta y no lo conozco.

—Como quiera. En la rotonda doble a la derecha. En el plano dice que es un camino de tierra.

26

De tanto en tanto una liebre corría delante de nosotros y se apartaba para desaparecer en el campo. El Gordini hacía un ruido lastimoso, como si estuviera a punto de descalabrarse. Coluccini manejaba bastante bien pero cada vez que agarraba un pozo maldecía en un italiano incomprensible. En un claro, abajo de un sauce llorón, vimos los restos oxidados de un Rambler Ambassador cubiertos de musgo y plantas que asomaban por los agujeros de los faros. Al rato atravesamos un paso a nivel y el camino hizo una curva para acompañar a las vías. A lo lejos divisamos la estación y un puñado de casas alrededor de la plaza. Coluccini sacó el pie del acelerador y me dijo que estuviera atento por si aparecía la policía, pero a medida que nos acercábamos me di cuenta de que allí no quedaba ni un alma. Las calles estaban desiertas y las casas abandonadas; de la plaza salía un bosque de hojas estrafalarias que avanzaba por las veredas y saltaba los muros para entrar por las ventanas podridas de humedad. Pasamos junto a un cartel de YPF desprendido de un galpón y más allá, frente a la iglesia, encontramos la osamenta de un caballo disecada por el sol. Coluccini detuvo el coche y se quitó los anteojos, un poco aturdido.

—Carajo, y yo que pensaba en el desayuno —dijo.

Nos quedamos un rato mirando alrededor, sin hablar. En el frente de lo que había sido la municipalidad todavía se veía el escudo de la República y alguien se había olvidado una bicicleta apoyada en la pared. Bajamos del coche y nos asomamos a lo que había sido la calle principal, que salía de la estación y moría tres cuadras más allá en el alambrado de un campo. Coluccini me señaló un almacén con barrotes en las ventanas y fue a echar un vistazo a través del vidrio roto.

—Nadie —dijo—. Se fueron todos a Bolivia.

—¿De un día para otro?

—¿Y dónde están, si no?

—En todo caso salieron corriendo —le señalé el mostrador sobre el que había una botella y unos cuantos vasos a medio vaciar.

El gordo empujó la puerta con el hombro hasta que la madera cedió y pudimos entrar. Había tantas telarañas y murciélagos como en el castillo de Drácula; a las paredes se les caía el revoque, y el retrato de Evita, sacado de una revista de los años cincuenta, se había rajado por la mitad. Los faroles estaban cubiertos de polvo y una parte del cielo raso, de donde colgaba un ventilador de madera, se había desprendido y estaba suspendida a la altura de nuestras cabezas. Hubiera bastado un soplido para que todo se derrumbara y tampoco el piso parecía muy sólido. El gordo fue a mirar al fondo con el encendedor prendido y después me hizo una seña para que lo ayudara a pasar al otro lado del mostrador. Le hice pie hasta que calzó la barriga en el borde, revoleó una pierna y saltó sin preocuparse de lo que encontraría en el suelo.

—Cuidado —le dije—, puede haber vidrios rotos.

—Cucarachas hay —me respondió—. Páseme el farol a ver si encuentro algo para el viaje.

Se lo alcancé tomándolo con el pañuelo. Quedaba bastante querosén y Coluccini le acercó la llama del encendedor hasta que obtuvo una luz tímida y amarillenta. Sobre una mesa había quedado un atado de cigarrillos Brasil, de los que mi padre fumaba de joven, un vaso sucio y una Pilsen abierta. La cerveza se había evaporado pero en el fondo del vaso quedaba una marca oscura.

—Comida no veo, Zárate —me dijo el gordo y le dio un manotazo a un bicho que andaba sobre el mostrador. A un costado de la estantería había un almanaque mordido por las lauchas donde la última hoja señalaba un martes ocho pero no quedaban referencias de mes ni de año. También vi la foto de Troilo con el bandoneón y la de Oscar Gálvez a la llegada de un Gran Premio. Subido a una silla, Coluccini hurgó entre latas de galletas podridas y porrones vacíos hasta que encontró un par de botellas llenas. Me lanzó una de ginebra y después otra de grapa y antes de bajar me dedicó unos malabarismos que hizo con unos vasos mugrientos. Al fin uno se le cayó y se rompió contra el piso; entonces me pareció que algo escapaba arrastrándose entre las sillas.

—Virtuoso lo suyo —le dije.

—¿Se acuerda? Hacíamos capote en el sur.

No sé dónde encontró un destapador y se puso a tironear el corcho de la grapa. Yo esperaba que se le rompiera pero lo sacó redondo, impecable. Volví a felicitarlo porque me pareció que estaba un poco decaído; entonces me alcanzó unos billetes colorados que encontró en un cajón.

—Vea, como éstos eran los que llevé para comprar el primer oso en Santa Fe.

—¿En una valija?

—No. Alcanzaba con cuatro o cinco. Eran buenos tiempos.

Por un rato se concentró en la botella que por la forma de la etiqueta parecía de otro siglo. Olió el corcho, lo tocó con la lengua, y después empinó el codo con los ojos cerrados y la nariz fruncida.

—De primera —dijo, y me la alcanzó. Al principio tomé con un poco de aprensión pero la grapa era buena y le pegué unos cuantos tragos. Coluccini pasó por encima del mostrador, volteó unos vasos y volvió de mi lado. Dejó el farol sobre una lata, acercó una silla y nos turnamos con la botella acodados a una mesa en la que antes de irse habían dejado los naipes servidos para el truco—. Yo estaba recién llegado de Italia —me contó mientras recogía una baraja—. En ese tiempo acá hasta los perros comían bifes de cuadril. Al oso lo tenía siempre descompuesto porque en la calle la gente le regalaba bombones y caramelos. Hasta chicles le daban.

—¿Trabajaba con él?

—Día y noche. Hasta la tardecita en Retiro y a la noche en los cabarutes. Teníamos dos o tres números bastante bien montados y me fui haciendo un capital. Después compré el circo y me entusiasmé demasiado. No sé, lo tengo que pensar.

—¿Qué es lo que tiene que pensar?

—Por qué me hundí, Zárate. Usted me dijo que también se había ido a pique, ¿no?

—Como casi todo el mundo. ¿Llegó a alguna conclusión?

—No sé. Usted se fue a tiempo, no sabe las que pasé yo. ¡Qué ingrato es este país con sus artistas, Zárate! Yo era famoso en todo el ambiente. Una vez salí en la tapa de Radiolandia, hice giras por Uruguay y Chile y al final, ¿dónde terminé? En la selva; ahí voy. Me podía haber instalado en España cuando me llamó el general; pero claro, en aquel tiempo nadie daba dos mangos por los gallegos.

—¿Perón lo llamó?

—Como delegado del gremio, sí señor. Usted me insistió para que fuera pero yo no me quise meter en política. Igual nos llevaron en cana.

—No se caiga ahora. Va para Bolivia, ¿no?

Se quedó un rato en silencio, quizá pensando en el naufragio y en cómo llegar a la costa. Se había puesto los anteojos sobre la frente y de ahí le bajaban chorros de sudor. Casi sin darse cuenta juntó las tres cartas que tenía delante suyo, sobre la mesa, y les echó una mirada distraída. De golpe se despertó, se acomodó en la silla y se calzó los anteojos sobre la nariz.

—¡Real envido! —me gritó con voz bastante más entusiasta. No me pareció que bromeara y junté los naipes tirados de mi lado. Los fui orejeando de a poco y encontré un par de copas detrás del rey de espadas.

—Falta envido —le repliqué para seguirle la corriente y lo miré a los ojos. Parecía descolocado por mi audacia.

—¿Tiene algo para apostar? —me preguntó, mientras miraba otra vez las cartas como si temiera que ya no estuvieran allí.

—El viaje, si quiere.

—¿El de antes o el de mañana?

—Me da lo mismo —respondí.

—¿Qué apostaba su socio?

—Ilusiones.

—Está bien, ponga la suya entonces.

—Creo que no me quedan.

—Juéguese el retrato de su amigo.

Palpé en el bolsillo la foto de Lem pero apenas tenía veintiocho en la mano y no me animé a echarla sobre la mesa.

—Una vez me enamoré desesperadamente —ofrecí.

—¿Se hubiera matado por ella?

—Ya ve, todavía estoy acá.

—Entonces ponga algo mejor. Tiene que ser un buen recuerdo... Un viaje en barco, una isla perdida, qué sé yo... algo que yo pueda contar cuando esté en la selva.

—De chico se me aparecía un fantasma que entraba por el agujero de la cerradura.

—¿Llevaba la sábana puesta?

—No, más bien una capa y fumaba bastante.

—¿El fantasma le fumaba en la pieza?

—Sí, pero no dejaba humo.

—Eso me va a ser difícil de contar. En un tiempo yo tenía un par de buenos recuerdos pero los perdí en Médanos. El último me lo ganó el cura Salinas la otra noche.

—¿No le queda nada? ¿Ni siquiera una alegría chica?

—No creo. El oso que me iba a comprar el diario... Pero eso a quién le interesa.

—Me dijo que habían trabajado juntos en Retiro, que la gente le daba bombones...

—Sí, pero nos llevaban en cana a cada rato. Ese no es un buen recuerdo. Me queda, si le parece, una piba de Chubut. No era linda ni me acompañó a la pieza, no se ilusione.

—Eso ya es algo.

—Ese día me salieron todas. Créame, se lo digo con toda modestia.

Entrecerró los ojos y se echó para atrás con las barajas apretadas contra la barriga.

—Creo que todavía se debe acordar. Yo la veía desde arriba mientras caminaba por la cuerda y el aire parecía electrizado. Se rompía las manos de tanto aplaudirme. "Ojalá viniera siempre", pensaba yo y me tiré al doble mortal que no es mi fuerte. Me salió redondo, con firulete y todo. Cuando llegué a la pista, Zárate me gritó: "Inolvidable, gordo".

—¿Y la piba?

—Se quedó ahí. Toda la gente había salido pero ella seguía sentada. Entonces me acerqué a hablarle y cuando me miró me di cuenta de que estaba feliz. "Otra vez", me dijo, "otra vez, por favor". ¿Qué le iba a decir? Volví al trapecio y seguí toda la noche. Triple mortal, tirabuzón, columpio con serpentinas, todo... A la madrugada se paró llorando, dejó un pañuelito en el asiento y se fue. ¿Usted conoce Puerto Madryn?

—Falta envido, Coluccini.

—Esta no quiero perderla, Zárate.

—Un fantasma contra otro.

Se prendió de la botella hasta que se atoró y se puso de pie tosiendo. Se me escapó de la vista, perdido en la oscuridad del boliche hasta que lo escuché voltear una silla y reventar la botella contra la pared.

—¡Quiero 28, qué mierda! —gritó desde el fondo de esas ruinas y después hizo un silencio de muerto para escuchar cómo se le escapaba otro recuerdo. Yo tenía el tres y el cinco de copas y miré la ubicación del mazo para saber quién era mano.

—Son buenas —dije y tiré los naipes sobre la mesa. De golpe se echó a reír y apareció en la línea de luz, blanco de cal, desarrapado, borracho, súbitamente feliz.

—Carajo —me dijo—, qué susto me pegué.

27

Agarró la botella de ginebra y salió del almacén tambaleándose, con la camisa medio salida del pantalón, arrastrando con un pie una hoja de diario amarillenta y sucia. Apagué el farol y lo seguí pero antes de llegar a la puerta escuché otra vez el ruido de algo que andaba entre las sillas. En la calle, a pleno sol, me sentí más tranquilo. Coluccini iba para la estación y me gritó que le alcanzara el plano pero me pareció que no estaba en condiciones de hacer la diferencia entre un tesoro y una locomotora.

Fui detrás de él caminando entre el pasto y levanté el pedazo de diario que el gordo había arrastrado desde el almacén. Era una hoja de *La Voz de Junta Grande* pero tampoco allí había una fecha. Vi el aviso de un remate de novillos y una columna que anunciaba el bautismo de un tal Juan Floreal en la parroquia de Santa Lucía. Lo demás era ilegible, salvo un párrafo de elogio a un teniente coronel que había limpiado el pueblo de vagos y mendigos. Iba leyendo eso cuando Coluccini tropezó entre los cardos y empezó a reírse otra vez, como si se burlara de sí mismo. Me acerqué a ayudarlo pero cuando me vio venir empezó a levantarse solo, tomándose de un poste donde había un buzón del correo. Eso debe haberle recordado algo y cuando estuvo de pie, con los yuyos hasta la cintura, abrió la puerta de la casilla y echó un vistazo como si esperara correspondencia.

—Nunca se sabe —me dijo y sacó un par de cartas amarillentas. La letra era tan borrosa como la que yo había visto en el diario, y cuando el gordo quiso abrir un sobre se encontró con que todo era un mazacote inseparable. Yo probé con el otro pero se me deshizo enseguida y sólo conseguí adivinar los restos de una escritura pequeña y arrevesada.

—Ya que tenemos correo, ¿por qué no manda las cosas del pibe Barrante? —me dijo Coluccini con la lengua trabada, mientras salía de la zanja.

No tenía ganas de discutir y aproveché para hacerle unas líneas a Lem avisándole que todavía andaba por la zona. Como no tenía papel ni sobre, se las escribí al dorso de la foto. Antes de ponerla en el buzón la miré otra vez y me pregunté qué habría querido decirme con el mensaje y si no tomaría a mal que se lo devolviera de ese modo. Las cosas de Barrante cabían en una bolsa de plástico que encontré en la guantera del Gordini. Puse cualquier dirección de Berazategui al dorso de una etiqueta de cigarrillos y dejé todo en el buzón mientras Coluccini trataba de hacer andar la bicicleta olvidada frente a la municipalidad.

El armatoste no se movió por más que el gordo le dio unas patadas al piñón. Parecía lejos de aquella noche de Chubut pero estaba contento de haber conservado el recuerdo y trataba de mostrarme alguna gracia de morondanga. No quería verlo caerse de nuevo y fui a dar una vuelta detrás del galpón del ferrocarril. Allí había una señal y un cruce de vías como el que Salinas había dibujado en el papel y supuse que no sería difícil descubrir el tesoro.

Llamé a Coluccini que insistía con la bicicleta y bajé resbalando por el terraplén. Un zorrino huyó entre las plantas y dejó un olor que me obligó a replegarme con el pañuelo sobre la nariz. Una bandada de tordos escapó por encima de la estación y escuché el grito de una lechuza alarmada. Vi algunas ratas que escapaban junto a los rieles pero el olor del orín ya estaba en todo el aire. Llegué corriendo a un pantano, me acosté en el suelo y arranqué unas flores para aspirar el perfume. Desde ahí escuché las carcajadas del gordo y me di vuelta para mirarlo. Estaba sobre el techo de la municipalidad subido a la bicicleta y me hizo señas hasta que estuvo seguro de que lo miraba. Se lo veía imponente y ridículo allá arriba con el torso desnudo y un trapo atado al cuello como si fuera una capa. Saludó a una multitud imaginaria, cruzó las piernas muy gruesas sobre el cuadro de la bicicleta, abrió los brazos y se largó como un murciélago aturdido por el sol.

Lo vi pasar como en una ensoñación y me olvidé del olor a zorrino y del tesoro del cura. Parecía que flotaba en el aire, acurrucado entre los redondeles negros de las llantas enloquecidas. Todo ocurría en silencio, bajo pelotones de nubes tranquilas, con un rotundo sol de mediodía. Lo perdí de vista en la esquina, cuando pasó encima del Gordini pero enseguida reapareció arriba de unos cipreses y voló haciendo sombra sobre el techo de la estación. Ahí pareció que se quedaba pero agarró por una recta y fue a dar un rodeo por el campanario de la iglesia. Los chimangos le planeaban alrededor y yo me puse de pie para verlo tomar una curva hacia las afueras del pueblo. Aprovechaba todos los cables de poste a poste y acostado como iba coleaba igual que un barrilete. A esa altura yo ya había entendido a la chica de Chubut y cuando vi que le erraba al último hilo de teléfono, sobre la señal del ferrocarril, comprendí también por qué Zárate y la familia lo habían abandonado a su suerte. Hizo un planeo largo, veinte metros por encima de mi cabeza, arrojando sombra sobre el pastizal y después de intentar una cabriola fue a estrellarse en un campo de avena, justo al lado del molino.

Tampoco entonces escuché nada. Había aterrizado a pique como un aeroplano de papel y los chimangos que lo acompañaban siguieron de largo. Volví la vista hacia los techos del pueblo y sentí que todos los cables vibraban todavía. Por un momento pensé en hacer como Zárate: recoger el tesoro y mandarme a mudar pero no me pareció una idea muy respetable. Recogí otra flor para perfumar el pañuelo y corrí en dirección al molino.

28

Al cruzar el alambrado me acordé de la recomendación de Lem, pero Coluccini parecía bastante estropeado y necesitaba que le dieran una mano. Estaba tirado entre las vacas, al lado del estanque, medio tapado por el mantel que se había atado alrededor del cuello y trataba de recuperar el brazo izquierdo que tenía atrapado bajo la espalda. Lo encontré un poco agitado pero sonreía como un bendito, bastante lejos del aprieto en que se encontraba; tal vez andaba por Chubut o caminando con el oso por Retiro. Me hizo un gesto para que no lo moviera y después señaló lejos, a lo alto.

—Quise salir a ver el campo —dijo, como si se justificara.

—Se robaron el cable, ¿no se dio cuenta cuando veníamos?

—Qué gente canalla... Usted me vio, ¿no? Traía viento de cola.

—Perfectamente.

—¿Y no me dice nada?

—Qué quiere que le diga. Nunca vi nada igual.

—Ni va a ver tampoco. Le agradezco el aplauso.

No recordaba haberlo aplaudido pero en verdad se lo había ganado.

—No tiene por qué. Fue formidable.

—Es como la música, ¿vio? Necesita un público atento.

—¿Le duele?

—Creo que me saqué el hombro. Eche un vistazo, ¿quiere?

Le tomé las piernas y lo empujé de costado para que pudiera liberar el brazo. El codo apuntaba para adelante y no iba a ser fácil arreglarlo. En ese momento me acordé de la noche en que Barrante me sacó la basura del ojo.

—¿Ya le había pasado antes? —pregunté y le devolví los anteojos que estaban tirados en el suelo.

—Gajes del oficio —me contestó—. Me va a tener que colocar el hombro.

—Si me dice cómo se hace... Un poco de ginebra ayudaría, ¿no?

—Quedaba media botella —dijo y se le iluminaron los ojos—. ¿Se anima a cargarme?

Me ofreció la mano sana y me hizo una seña para que tirara sin miedo. Apoyé el zapato en el de él para no resbalar y empecé a enderezarlo. —Lanzó un par de soplidos, maldijo un poco en italiano y cuando se pudo mantener de pie se me vino encima.

—Ya está, Zárate —me avisó al oído—, métale pata.

Se movía con la elegancia de un ciervo herido. Fuimos tambaleándonos entre el pastizal, cuidando que las vacas no se nos vinieran encima. Yo lo agarraba fuerte y le soportaba el peso con el hombro. En el aire todavía quedaba un olor amargo y Coluccini me dijo que el orín del zorrino les traía suerte a los viajeros. Me dio la impresión de que iba a tener un ataque de asma y me paré dos o tres veces para que pudiera tomar resuello. Al llegar al alambrado le pregunté si se animaba a pasar entre los hilos, y por la mueca que hizo me di cuenta de que lo había ofendido.

—Hágame pie y cállese la boca —dijo, mientras apoyaba la espalda en un poste.

Puso el otro pie en el alambre de púas, se afirmó en mi cabeza y pegó el salto sin pensarlo dos veces. Entonces volvió a sorprenderme; el brazo lastimado le colgaba como una rama muerta pero con el otro podía hacer maravillas. No bien tocó tierra manoteó un arbusto para recuperar el equilibrio, giró con los talones y se deslizó sentado por la pendiente del terraplén. Al llegar al fondo se dio vuelta para ver si lo seguía, como si yo fuera el otro Zárate, el que lo acompañaba en las acrobacias. Pasé por entre los hilos más flojos y fui a levantarlo.

—¿El tesoro está por acá? —me preguntó mientras lo arrastraba de nuevo.

—Abajo de la señal —le dije.

—Va a tener que manejar un trecho usted. Podemos pasar la noche en Pergamino y en tres o cuatro días cruzamos la frontera.

—Ya le dije que tengo que encontrarme con mi socio.

—Si insiste... Colóqueme el hombro y después haga lo que quiera.

Rodeamos la estación y salimos a donde estaba el Gordini. Coluccini me indicó un lugar en la plaza en el que había dejado la ginebra y ahí lo ayudé a sentarse. Le alcancé la botella y tomamos unos tragos mientras me decía cómo tenía que hacer para arreglarle el brazo. Al rato me avisó que estaba listo y pidió que le alcanzara algo para morder. Conseguí una corteza de árbol, le agarré el brazo con cuidado y apenas cerró los ojos di un tirón seco. Pegó un grito y me insultó como a su peor enemigo pero me alegró ver que el brazo había vuelto a su lugar. Vació la botella de un trago, le dio un beso a la medalla y se recostó contra un tronco. Los dos sudábamos como albañiles y tardamos en advertir que cerca de ahí, entre las palmeras y los arbustos, estaba parado el Citroën de Nadia. Sentado sobre el capó, fumando tranquilo, nos esperaba el cura Salinas.

29

Entre los tres nos dieron una buena paliza, con palos y todo. Nadia se mantuvo al margen, acostada en la gramilla, hasta que vio que Coluccini perdía los anteojos y se defendía con una sola mano. Eso debe haberla conmovido y como quizá todavía me guardaba un poco de simpatía vino a parar la pelea. El gordo se cubría con el brazo maltrecho y a cada golpe que recibía daba un alarido. El petiso estaba fuera de sí y me dio con un palo en la cabeza, pero Nadia sacó un revólver y empezó a disparar al aire. Todos nos calmamos un instante y Coluccini aprovechó la tregua para darle un botellazo al rubio que era el que más nos había castigado. El tipo se fue al suelo y empezó a gritar que estaba ciego y a invocar a Dios. Yo me preguntaba que hacía ahí, peleándome con desconocidos, al lado de un malandrín irrescatable, pero no era el momento de pensar en esas cosas. En la confusión, mientras yo le torcía un dedo a Salinas, Coluccini resbaló y el petiso le quiso tajear la cara con un vidrio roto. Entonces Nadia volvió a disparar y todos nos quedamos quietos como si hubiera llegado la policía.

—¡Otra vez usted! —me gritó—. ¿Por qué no se comporta como debe?

—Yo la hacía en La Plata —le contesté y escupí la tierra que tenía en la boca.

—¡Ladrones, degenerados! —gritaba el rubio que intentaba ponerse de pie.

—Bueno chicos, ahora cada uno se va para su casa —dijo Nadia y señaló la estación.

Eso me dio risa. Coluccini me miraba con desconfianza, como si yo estuviera pactando con el enemigo. Ella estaba resplandeciente, bien peinada, con los labios pintados y parecía más joven que el día en que hicimos el amor. No sé si se acordaba de eso porque me apuntaba como a los otros y seguía pidiendo que nos largáramos de allí. El gordo intervino para decir que habíamos tenido un feo accidente y propuso una retirada en grupos separados para que nadie hiciera trampa.

—Io e el mio amico possiamo andare su...

—¡Hable en cristiano! —le gritó Nadia.

—Le decía que el amigo y yo podemos ir hasta la estación donde tengo el coche mientras que los señores podrían replegarse en el Citroën hasta la ruta. ¿Le parece bien?

—No, porque el coche es mío —dijo Nadia—. ¿Usted es el que se robó el plano?

—¿Qué plano? —preguntó el gordo, que parecía sinceramente sorprendido.

—Démelo o lo hago desnudarse. ¿Qué andaba haciendo por los techos?

—Fui a curiosear, nada más.

—Para decirle la verdad, señora —intervino Salinas, que ya se veía sin sus ahorros—, son apenas unos pocos pesos de la limosna. Lo que queríamos era darles una lección a estos ladrones.

—Dólares, padre. Usted me dijo que eran dólares.

—No, ¿de dónde voy a sacar dólares, yo?

—De los estancieros —le respondió Nadia que debía conocer el tema.

—Un sacerdote nunca pide plata —se indignó el petiso que quería darle una mano a su jefe pero la voz le salió muy falsa y Nadia le pegó un revés en la cabeza.

—No es exacto lo que dice el padre —explicó Salinas— a veces pedimos algo para el ómnibus.

—Qué ómnibus, atorrante, si te llevaba yo —lo increpó Coluccini—. Yo le voy a decir dónde está la plata, señora, pero antes córrame a estos tipos.

—¿Usted lo garantiza? —me preguntó Nadia y había un destello de amistad en su mirada.

—Cuente conmigo —le dije.

—Bueno, retrocedan hasta el alambrado —les ordenó a los curas y como Salinas se puso a discutirle volvió a disparar al aire. Ahí hubo un desbande muy poco viril. Yo me tiré detrás de un árbol y los otros salieron corriendo para la estación. Coluccini ni se movió pero por la cara que puso me di cuenta de que algo nos había salido mal.

—Me dejé la llave en el auto —me dijo, apesadumbrado.

Los curas nos habían ganado la posición. Yo estaba agotado pero me habían tocado el amor propio y quería ver cómo terminaba el juego.

—¿Los otros saben del tesoro? —le pregunté al gordo.

—No creo, son unos giles.

—¿Dónde está la plata? —insistió Nadia.

—Justamente —le dije—, atrás de la estación.

—¿Y dónde anda el otro?

—¿Qué otro? —dijo Coluccini, molesto.

—El triste. El banquero perdido.

—Se fue a buscar un casino —respondí—. Usted lo entusiasmó.

—¿Su socio tiene un banco? —preguntó el gordo con la boca abierta.

—Y un Jaguar flamante —agregué.

—¿Cuánto calcula que hay? —preguntó Nadia y señaló la esquina donde Salinas estaba revisando el Gordini.

—Unos cuantos miles —dijo Coluccini—. Si no nos apuramos se los van a llevar.

—Suban al coche —dijo Nadia—. Les vamos a pegar un susto.

Yo me senté en el medio. En el Citroën había tantos chorizos y quesos como antes y eso me traía buenos recuerdos.

—Sabía que nos íbamos a volver a encontrar —me dijo Nadia.

—Una vez yo estaba tirado en la ruta pero usted siguió de largo.

—No hay que tentar al diablo. ¿Aprendió algo en estos días?

—Poca cosa. Que hay que parar cuando alguien está haciendo dedo.

—Eso no nos sirve para Brasil.

—Eso sirve en todas partes —le dije.

Al fondo de la calle Salinas y los otros se estaban atrincherando detrás del Gordini.

—Carguemos, señora —dijo Coluccini—. No se la van a llevar de arriba los curitas.

30

No se parecía en nada a las cargas que yo había visto en las películas. El Citroën bramaba pero iba tan despacio que los curas tuvieron tiempo de esconderse y tirarnos de todo. Un piedrazo nos rompió el parabrisas y Coluccini me gritó que le alcanzara algo con qué responder el ataque. Me hice un lugar entre las provisiones y le alcancé botellas, latas de paté y todo lo que tenía a mano. En ese momento me di cuenta de que Nadia había perdido el control del coche y que nos íbamos derecho contra el Gordini. Pero ni siquiera hubo choque porque el Citroën venía muy despacio y lanzado de costado. Fue apenas un raspón en el que se nos desprendió un guardabarros y los dos coches quedaron enganchados de las puertas. Salinas salió corriendo por la vereda de la estación y Coluccini me gritó que le cerrara el paso pero ya era tarde. El cura subió la cuesta enredado en la sotana y enfiló hacia donde debía estar el tesoro. El petiso entregó las llaves sin discutir y Nadia que empezaba a perder el maquillaje le dio unas cuantas bofetadas y lo espantó para el campo.

Atardecía y el pueblo se había teñido de un color ocre bastante siniestro. Le pedí a Nadia que se quedara a cuidar los coches y fui detrás de Coluccini temiendo que le ocurriera algo irreparable. Corté camino y lo atrapé cuando bajaba el terraplén, agitado, casi asmático, con los ojos que se le reventaban.

—¡Déjeme, Zárate! —me empujó—. ¡Ese hijo de puta me pagaba un fijo!

No podía olvidarse de eso. Salinas se metió entre unos pastos altos y empezó a escarbar con desesperación. Esa plata debía haberle costado muchos meses de púlpito de una estancia a otra y no estaba dispuesto a perderla así nomás. Coluccini lo quiso agarrar de un brazo pero no tenía resto y el cura le dio un empujón que lo tiró de espalda. Ahí sí al gordo le vino un ataque y empezó a echar espuma por la boca. Salinas levantó un palo, me dirigió una sonrisa y me preguntó cuánto hacía que había vuelto de Australia.

—No me acuerdo —le dije y busqué algo con que pelearlo.

—El gordo me habló de usted, Zárate. Váyase o le rompo la cabeza.

Le habría contado algunas hazañas de su socio y yo me sentí en la obligación de no defraudarlo.

—¿Es cierto eso de que los ricos pasan por el ojo de la aguja? —pregunté.

—Sí señor. Hay todo tipo de agujas.

—¿Pasará usted, padre?

—Hay que tener con qué —señaló el pozo—. ¿Se va o quiere otra paliza?

—No sé. Ya estoy jugado.

—¿Usted sabe cómo se hace para salir de acá?

—Ni idea.

—Si me facilita el coche vamos a medias.

Coluccini seguía en el suelo a los saltos y se tomaba el pecho con las manos.

—No podemos dejarlo así —dije señalando al gordo.

—No pasa nada, después se queda dormido.

—De acuerdo —abrí los brazos en prueba de amistad—. ¿Qué le parece si antes rezamos un poco? Tenemos tantas cosas que hacernos perdonar...

Eso lo descolocó. Tenía muchos años de iglesia y todavía llevaba la sotana y una cruz.

—No joda, usted no es creyente.

—Le aseguro que sí.

—Dios es una idea bastante vaga, ¿sabe?

—A mí me basta con eso.

—No sabe cómo lo envidio. Oiga, quería preguntarle, ¿se extraña mucho afuera?

—Terriblemente.

—Yo voy a Madrid. ¿Qué es lo que más extrañaba usted?

—Esto, por ejemplo. Este recuerdo no podrá apostárselo a nadie. Las historias de sus amantes no le evocarán nada y lo que usted cuente no le importará un pito ni a la más cordial de las manicuras.

—Pavadas.

—A veces maldecirá este recuerdo, tratará de borrarlo pero yo estaré allí. La vidente andará a los tiros y Coluccini seguirá en el suelo echando baba hasta el fin de sus días, padre. Aparte de esto, seguro que le irá mejor allá. La gente tiene montones de tarjetas de crédito y llega a horario a las citas.

—¿Y qué quiere? ¿Le parece que me puedo pasar la vida en este agujero? ¿En un pozo con la mierda hasta acá? —Se quedó un instante con la mano a la altura del cuello.

—Es su pozo, tardó una vida en cavarlo.

—Yo no hice nada. Me pasé diez años enterrado en una parroquia de Bernal confesando ladrones y putas, cagado de hambre, predicando la misericordia, absolviendo gente a la que el infierno le queda chico. ¿De qué buenos recuerdos me habla?

—De ésos. Yo no dije que fueran buenos. Dije que son los suyos.

—No, gracias, se los regalo.

Miró el cielo que empezaba a encapotarse y guardó algo en un bolsillo de la sotana. Coluccini estaba desmayado o dormía, estirado sobre una zarzaparrilla. Oscurecía y al otro lado de la estación todo parecía muerto. Salinas me empujó con el palo y me dijo que caminara delante de él. Pasamos el terraplén y dimos un rodeo por la estación.

Al asomarme a la calle vi los coches y un caballo que andaba suelto. No había rastros de Nadia pero yo sabía que estaba esperándonos en alguna parte. Le hice señas a Salinas para que avanzara y cuando se me acercó le señalé un punto que se movía frente al almacén.

—La adivina está lejos, aproveche —le dije y arrojé la llave a la calle.

Salinas salió a la vereda sin hacer ruido y fue a recoger el llavero. Era verdad que en la puerta del almacén había algo que se movía pero no alcancé a distinguir de qué se trataba. El cura apartó las valijas desparramadas delante del Gordini y se puso al volante con toda cautela. Ya se imaginaría en Madrid, en la Gran Vía o en El Corte Inglés poniendo distancia, pero no bien encendió el motor Nadia se asomó por el parabrisas roto del Citroën y le acercó el revólver a la cabeza.

—Baje, padre —le dijo y encendió los faros—. Vaya y deje la limosna en el suelo.

31

El Citroën no debía andar bien de batería y los faros eran dos aureolas mortecinas que a duras penas alumbraban el pasto. Salinas se volvió para mirarme y después fue a ponerse frente a la luz. Cruzó las manos sobre el regazo y bajó la cabeza como si estuviera en la parroquia de Bernal, humillado ante el Creador. Nadia mostraba cierto encanto con esas botas negras, el busto ajustado y el revólver en la mano. Fue a pararse detrás del cura, le palpó la sotana y me gritó que no me hiciera más el tonto y saliera del escondite.

Yo estaba cansado y hambriento y me había hecho una idea de cómo iba a terminar el día. Sólo me inquietaba por Coluccini y sentía curiosidad por saber si había dejado algún recuerdo en Nadia. Abrí la puerta del Gordini y saqué un paquete de Winston de los que había dejado Lem. Salinas me vio encender el cigarrillo y me pidió uno, como los condenados a muerte, pero no había rencor en su voz. Simplemente tenía que empezar todo de nuevo, desde Bernal a las estancias.

—Es buena plata —le dijo Nadia y puso el bolso de plástico sobre el asiento del Citroën—. ¿Cuánto necesita para tomarse un ómnibus?

Salinas le mostró una sonrisa helada. Había jugado y perdido, como todos nosotros, pero no quería hablar del asunto. Se encogió de hombros y volvió a mirarme para saber si yo también gozaba su derrota. Para tranquilizarlo le guiñé un ojo pero no sé si podía verme en la oscuridad. Nadia me preguntó dónde estaba el gordo y le contesté que andaba volando por los techos. Los dos levantaron la mirada pero sólo encontraron un cielo gris en el que asomaba un pedazo de luna bastante sucia.

—Es un gran artista —dijo Nadia—, nunca va a tener un peso el pobre.

No quise hablarle de los videos ni de la selva boliviana para no escandalizarla. Levanté el guardabarros del Citroën y lo puse en su lugar como una pieza de un mecano.

—Qué, ¿no viene conmigo? —me preguntó.

—No me interesa el Brasil. Ya estuve mucho tiempo afuera.

—Cansado de llevarse puesto, ¿eh?

—No le sería de utilidad.

En ese momento Salinas salió corriendo para el campo. Alcancé a verle la sotana que se inflaba con el viento y se perdía en la sombra. Nadia disparó a cualquier parte y se guardó el revólver en un bolsillo.

—Ese iba a Madrid —dije—. ¿No le da pena?

—Son ladrones. Este país está lleno de gente así. ¿Se da cuenta? Un cura...

—Usted acaba de robarle.

—Es distinto. Yo soy una mujer sola... Llevo veinte años entre estos yuyos pisando bosta, tirando las cartas en hoteluchos pulguientos... Estoy harta de trabajar para nada, ¿sabe?

—Me imagino. A él le pasaba lo mismo —dije y le tendí el plano del tesoro.

—No tengo los anteojos —dijo.

—Ninguna importancia. ¿Se va a acordar de mí?

—Sí, no vaya a creer que tengo una aventura todos los días.

—No, claro que no.

—No me juzgue por una tarde de tormenta.

—No se preocupe; igual no va a ir muy lejos.

—¿Qué quiere decir?

—Nada que usted no pueda leer en las cartas.

—El destino es abierto, ¿sabe? Una computadora nunca vale el ojo de la astróloga.

—Hay menos incertidumbre, es verdad. Y todo se nos viene abajo.

—Un día me va a explicar cómo funcionan.

—Si tiene paciencia... ¿No se lleva a Bengochea y a la novia?

—Cuando esté instalada.

Me acerqué y nos dimos un beso de amigos, rozándonos los labios. Después se fue, sin parabrisas ni capota, y en la última curva escuché otro tiro que podía ser de saludo o de advertencia. Las luces traseras estuvieron como diez minutos en el horizonte antes de desaparecer. En ese momento supe que no la vería nunca más.

32

Encendí los faros del Gordini y vi en el suelo las provisiones que Coluccini les había tirado a los curas. Junté todo lo que pude, lo metí en el coche y fui a buscar al gordo. En el camino encontré una llanta de la bicicleta torcida por el porrazo.

—Oiga, usted es mufa —fue lo primero que escuché mientras apartaba las hojas de la zarzaparrilla.

—¿Cómo se siente?

—Diez puntos. ¿El cura se escapó?

—Sí, pero el tesoro se lo llevó Nadia.

—Carajo... ¿Cuánto había?

—No sé. Antes de irse dijo que usted era un gran artista. ¿Quiere comer algo?

—¿De verdad dijo eso?

—Tal cual. Y que nunca iba a tener un peso.

—Eso está por verse. ¿Nos robaron el auto?

—No —le mostré la llave—. Venga, vamos a lavarnos un poco.

Lo ayudé a levantarse y caminamos hasta el estanque del molino. Había entrado agua fresca y aprovechamos para darnos un remojón.

—La voy a alcanzar —dijo Coluccini mientras se vestía—, con ese cachivache no puede ir muy lejos.

—Ella tampoco puede poner el cambio —le comenté.

—Entonces ya la tenemos. Como máquina le tengo más confianza a la mía.

Esa vez caminó sin ayuda y hasta silbó la melodía de Zorba el Griego. Juntamos las valijas y nos sentamos a comer en el coche, con las puertas abiertas. Me incliné para mover el espejo y vi que se me habían formado unas ojeras enormes y tenía un moretón cerca de la frente.

—¡Un gran artista! —repitió Coluccini que a duras penas podía masticar—. Esa mujer conoce. Si hubiera sabido que me estaba viendo le dedicaba un doble golondrina.

—Oiga, estoy cansado de oírlo alabarse. ¿No tiene abuela?

—A mi abuela la colgaron en Perugia en el 43, por comunista. Yo era pibe.

—Ahora me va a decir que usted hizo la guerra.

—La resistencia. Pero ya no le puedo contar nada porque esos recuerdos los perdí en Médanos.

—Ajá. ¿Y por qué no puede volver a Italia?

—Mi padre tuvo un problema en Cosenza con un camión de caudales y para zafar me echó la culpa a mí que ya estaba en la Argentina. Falleció en el 75, que en paz descanse.

—¿No le guarda rencor?

—No, son cosas que pasan. Ya mi mamá se lo había echado en cara por carta. Al tiempo ella se casó con un tipo de la oficina meteorológica y se fueron al norte a medir el viento.

—Linda familia la suya.

—Por lo menos tengo una.

Me miró un rato mientras pelaba un salamín, esperando que le contara algo.

—Yo estuve en Italia trabajando en la Olivetti. Me iba bien pero cuando se fueron los milicos pegué la vuelta. Me pareció que valía la pena.

Se estuvo riendo de buena gana y de pronto apuntó un dedo hacia el almacén.

—Allá anda alguien —dijo y apagó la luz de la cabina—, ¿alcanza a ver?

—Me pareció distinguir algo hace un rato.

—¿Está seguro de que no vino la policía?

—Seguro.

—Por las dudas vamos a dormir a la ruta, Zárate. Maneje usted que tengo el brazo un poco hinchado.

El volante era más duro que el del Jaguar y el motor echaba aire caliente por algún agujero cerca de los pedales. Encendí las luces largas y fui en dirección del almacén. La calle seguía desierta y no sé por qué volví a sentir todos los miedos de la infancia. Hice una maniobra para salir a la ruta pero Coluccini me tomó de un brazo y señaló hacia un matorral recién aplastado.

—Por ahí pasó un coche —me dijo—. Vaya a echar un vistazo.

—El nuestro o el de Nadia, no hay otro.

—Nosotros no pasamos por ahí. Ese tenía radiales, como la policía.

Hice unos metros marcha atrás y bajé a mirar. Sobre el pastizal se distinguía la huella de un auto. Caminé unos pasos a oscuras como para darme coraje y tropecé en el mismo lugar que Coluccini se había caído a la mañana. Estuve a punto de irme de cabeza pero atiné a agarrarme del buzón que tenía la puerta entornada. Prendí el encendedor y vi que se habían llevado las cosas de Barrante y el mensaje para Lem. En su lugar había un sobre vía aérea que venía de España. Junto a la estampilla con la cara del Rey reconocí la letra menuda de mi hija. Abajo de mi nombre sólo había escrito "Poste Restante, República Argentina".

33

Volví al coche y puse la carta encima del tablero. Coluccini esperaba que la abriera enseguida pero yo necesitaba estar solo para leerla. Bordeamos la vía y en un rato llegamos a la rotonda del restaurante. En el momento de decidir la ruta a tomar dudé un instante hasta que Coluccini me señaló unos vidrios caídos sobre el asfalto que debían pertenecer al Citroën y enderecé para ese lado.

Anduvimos más de una hora sin encontrar ni una curva hasta que divisamos el primer árbol al lado de una tranquera. Salí de la ruta frenando despacio y paré abajo del sauce mientras Coluccini dormitaba apoyado en el vidrio de la ventanilla. A ratos roncaba y cuando se despertaba me hablaba de un hotel de veinte pisos que estaban construyendo en la selva, cerca de donde mataron al Che. Me dijo que su madre nunca se los habría perdonado pero no le creí nada y le contesté con vaguedades. Al fin se durmió y yo encendí los faros para ir a leer la carta sentado en el pasto. Abrí el sobre tratando de no romperlo y encontré una sola hoja de papel muy fino, con el dibujo de una chica bajo la lluvia.

Mi hija estaba en cuarto grado e imaginé que hablaría marcando las eses y las zetas de España. Para ella no significaban nada la Primera Junta, Belgrano, ni las campañas al Alto Perú. No le pesaban Rosas ni Caseros. Me dije que estábamos rotos y lo estaríamos por mucho tiempo. Me daba pena que camináramos al abismo como vacas ciegas y tampoco quería escapar solo a ese destino que era el nuestro. De pronto el nudo que sentía en el estómago se me convirtió en náusea y fui a vomitar al medio de la ruta. Los arbustos estaban levantando el asfalto y avanzaban por Las grietas de la carretera. Pensé que un buen día ese lugar volvería a ser como alguna vez fue, pura calma bajo el sol y las tormentas, sin ningún rastro de nuestro paso fugaz.

Me estaba desanimando tanto que fui a apagar las luces y me tiré en el asiento de atrás a mirar las estrellas. Coluccini hacía un ruido de aserradero y se negaba a venderle la carpa al predicador de La Boca. Yo trataba de no hacerle caso para poder dormirme pero se había empecinado y golpeaba el puño contra el tablero gritando que no y que no. Al fin se rindió pero había resistido como el último de los indios y si se entregó fue porque lo habían dejado solo. Le seguí el ritmo de los ronquidos y yo también me quede dormido soñando con ecuaciones imposibles de resolver.

Los números se me presentaban dispersos en la pantalla y yo los elevaba a una potencia que el programa no podía manejar. Repetía el mismo gesto en el teclado, infinitamente, pero la fórmula se negaba a establecer un orden de prioridades y la computadora me pedía que verificara el espacio disponible en la memoria. Yo sudaba porque temía que el programa estuviera infectado por algún virus y se quedara colgado para siempre. Mi amigo de Roma venía a auxiliarme con un mapa de la Argentina lleno de fórmulas incomprensibles anotadas en los márgenes. Discutíamos, pero él me respondía con ronquidos tan fuertes como los de Coluccini y cada vez que yo reiniciaba la ecuación el procesador se plantaba y me mostraba una figura parecida al dibujo que me había mandado mi hija.

Me desperté muy de noche y salí a la ruta a fumar un cigarrillo. A medida que caminaba por el asfalto me pareció ver unas luces a lo lejos, pero nadie pasó por allí y lo único que encontré fueron unas langostas que saltaban y se me pegaban al pantalón. Fui a comer un pedazo de queso y después me recosté en el asiento. Ya aparecía el primer resplandor en el horizonte y por fin pude dormir de un tirón y sin pesadillas.

34

Mientras me despabilaba vi que Coluccini había hecho un fuego abajo del sauce y estaba asando unos chorizos de color bastante dudoso. Tomamos mate hasta que se lavó la yerba y después me tiré en el pasto a mirarlo. Se daba maña para arreglar las brasas con un palo y hasta consiguió que los chorizos salieran bien dorados. Los pinchamos con unas ramitas y abrimos dos latas de cerveza que el gordo había enterrado a la sombra del árbol. Le pregunté cómo andaba su brazo y lo movió de arriba abajo para mostrarme que ya estaba en forma.

—Esta ruta lleva a Cleveland —me dijo—. ¿Conoce?

—No. ¿De dónde sacó eso?

—Hace un rato pasaron unos chicos en un Mercury y me dijeron que iban para allá.

—Cleveland, Ohio. Eso queda en Estados Unidos.

—¡Ah! Con razón parecían medio perdidos...

—¿Sabe?, yo tengo la impresión de que por acá ya pasamos. ¿Usted no se acuerda de la tranquera esa?

—Son todas iguales, Zárate, como los árboles. Hice mil quinientos kilómetros con los curas y nunca supe si iba para el norte o para el sur.

—Entonces debe ser una impresión mía. ¿Vio a alguien más?

—No, pero la adivina no debe andar lejos. ¿Alguna novedad? —señaló el coche—. ¿Buenas noticias?

—Noticias nada más.

—Ya es algo, ¿no? A mí no me escriben nunca. Una vez mi pibe me llamó de Australia para preguntarme qué carajo hacía acá todavía. De un teléfono público dijo que me llamaba, ¿se da cuenta?

—Puede ser.

—Después no llamó más. Seguro que lo habrán agarrado manipulando el tubo. Es bastante ingenioso con esas cosas.

—¿No extraña a la familia?

—Claro que sí, pero ellos lo admiraban a Zárate y deben estar mejor con él.

—¿Por qué lo admiraban?

—Es un campeón. Un ganador.

—¿Usted no lo es?

—Yo siempre fui un estorbo. No me gusta levantarme temprano, ¿me entiende? Una vez les agarró a todos la chifladura de irse a Japón. ¿Sabe a qué hora se levantan en Japón? A las seis ya están de pie y cantando. Yo le dije a Zárate: vayan ustedes y mándenme una postal. Al final agarraron para Australia.

—¿No va a tener que madrugar en Bolivia?

—No creo. En la selva lo único que se puede hacer es dormir y ganar plata. Lo leí en una revista.

—Ni siquiera hay barcos en Bolivia, Coluccini.

—Yo me conformo con poca cosa. Dicen que hay un lago y una mina de oro que esconden los indios. En una de ésas consigo el plano.

—¿Se siente bien? ¿Quiere que maneje yo?

—El problema es el revólver, Zárate. Esa mujer está armada.

—¿Nadia? Olvídese de ella.

—No sé. Usted me dijo que era buena plata.

—Yo no la necesito.

—Unos pesos tendríamos que conseguir. ¿Usted tiene buena vista?

—Bastante buena.

—Entonces si ve el Citroën me pega el grito. Déjeme el volante que usted no se ahorra ni un pozo. Vaya, guarde las cosas.

Ordené las provisiones que nos quedaban y fui a revisar el aceite del motor. Estaba tan licuado que me pareció un milagro que no se hubieran fundido las bielas. Se lo dije y me contestó que no me preocupara, que en la primera estación de servicio lo haría cambiar. No hizo más comentarios. Se calzó los anteojos negros y tomó la ruta.

Manejaba con una sola mano y daba la impresión de haber pasado su vida sobre esos pavimentos calamitosos. Antes de que se escondiera el sol encontramos el camino de tierra que llevaba a la Shell donde nos habíamos conocido. A la vuelta de una curva, parado en el mismo lugar, estaba todavía el Bedford cargado con sandías. Ahí nomás le pegué el grito a Coluccini que frenó y se le puso a la par, del lado de la sombra, igual que la primera vez. El camionero estaba casi desnudo, flaco como un espárrago y el sol le había levantado toda la piel. Las sandías olían a podrido pero al tipo no parecía molestarle y se mantenía firme al lado de la cabina, con el pulgar levantado. A su alrededor el suelo estaba lleno de cáscaras tapadas de moscas.

—¡Finito! —le gritó Coluccini a través de la ventanilla—. ¿Todavía no encontró comprador?

—No pasa nadie.

—¿Cuánto me dijo que podía valer?

—Hace mucho que no veo los precios, pero diez millones fácil.

—No joda, eso no vale una escupida.

El tipo señaló las ruedas tiradas entre el pasto. Parecía dispuesto a retomar la conversación de la otra vez.

—Si pasan por el pueblo y me piden un guinche...

—Castelnuovo, ¿conoce? —le pregunté.

Hizo un gesto de desdén y pateó una cáscara. Parecía veinte años más viejo.

—Yo lo hubiera acompañado —se dirigía al gordo—, pero mi mujer está enferma y tengo un pibe en la escuela. ¿Qué tal allá en Bolivia?

—Bien pero sin exagerar —le contestó el gordo—. Si veo el auxilio se lo mando.

—No sabe cuánto le agradezco.

—¿Vio pasar un Citroën sin capota?

—No. Hace unos días apareció un colectivo que tocaba música pero siguió de largo por allá —apuntó el dedo para el camino de tierra.

—Póngase a la sombra —le dije y le tiré un cigarrillo.

Me miró con un rencor desdeñoso y se pasó una estopa sucia por el cuello.

—Oiga, si lo ve a Castelnuovo dígale de mi parte que se puede ir a la puta que lo parió.

—Castelnuovo murió —le dije.

Tuve la impresión de que esa era la primera buena noticia que recibía en mucho tiempo, aunque enseguida le entró la duda.

—Hierba mala nunca muere —refunfuñó.

—Se murió, yo vi cuando lo enterraban —insistí mientras el gordo arrancaba tocando bocina.

Se quedó contento, mirando cómo nos alejábamos, con una sonrisa boba y el pulgar apuntando a cualquier parte.

—Le aconsejo que no dé explicaciones —me retó Coluccini mientras intentaba enganchar la cuarta—. En el campo uno nunca sabe con quién está hablando.

—Discúlpeme. ¿Vio que yo tenía razón? Por acá ya pasamos. Bolivia queda para el otro lado.

La observación no le hizo gracia. Miró el reloj y apuró la marcha como si tuviera que llegar a tiempo a una cita.

—Téngame fe, Zárate —dijo—. Usted conoce Colonia Vela, ¿no?

—Ahí me mordió un perro.

—Bueno, vamos a echar nafta. Esta es nuestra última parada.

35

Le pregunté si tenía plata y me pasó el fajo que llevaba en el bolsillo entre pelusas y escarbadientes rotos. Los papeles estaban arrugados y mojados por la transpiración pero vistos de lejos parecían billetes de verdad.

—Imposible —le dije—. Acá hay teléfono, sirena y la policía tiene un patrullero. ¿Por qué no volvemos al Automóvil Club?

—Baje y espéreme en el bar. Que no se note que andamos juntos.

—No, Coluccini, olvídelo. Fíjese la pinta que tenemos.

—Tomamos un cafecito en la plaza y después vemos cómo está el ambiente. Usted me asegura que Bolivia queda para el otro lado, ¿no?

—Yo no dije eso. Hace tiempo que perdí la brújula.

Se echó a reír y me dejó en la esquina del club Unión y Progreso. Se fue por la avenida a una velocidad demasiado llamativa para ese pueblo. Yo tomé por la calle del centro, donde la única vidriera iluminada era la de una farmacia. Desde la esquina, al fondo de la transversal, distinguí los surtidores de la Esso. El frente de la comisaría estaba a oscuras y debía hacer un siglo que el patrullero no se movía del potrero de al lado. El único vigilante que vi al pasar estaba descalzo, abajo de un farol de gas, charlando con un tipo vestido de gaucho. Sería la hora del apagón y en la calle no se veía un alma. Mientras cruzaba a la otra vereda metí la mano en el bolsillo para tantear el fajo que me había dado Coluccini y me pinché con uno de los escarbadientes. Entonces se me ocurrió que podía hacer algo para facilitar las cosas si el gordo me metía en líos. Volví a pasar frente a la comisaría, crucé en la esquina y me metí en el baldío donde estaba el patrullero. Eché un vistazo a los alrededores y como no vi a nadie rompí el escarbadientes y me agaché al lado de una rueda con la respiración entrecortada. Desenrosqué la tapita y enganché la válvula con la punta del palillo. Ahí nomás la goma empezó a perder aire sin hacer mucho barullo, igual que cuando yo era pibe y nos divertíamos a la salida del cine. Me aseguré de que el escarbadientes quedara bien calzado y salí por el lado más oscuro, caminando como si anduviera de paseo.

El Gordini no estaba en la plaza y empecé a preocuparme. Decidí esperar en el bar y entré poniendo cara de persona seria. El gallego seguía detrás del mostrador y me miró de reojo hasta que me reconoció. Saludé a todo el mundo y por las dudas me senté cerca de la puerta. Atrás había mus y truco y algunos de los que jugaban se dieron vuelta a mirar, sorprendidos como si hubiera entrado una mujer. El ruido del generador era el mismo de la otra vez, el tipo de bigotes estaba tomando su Cinzano y ninguna cosa había cambiado de lugar. Prendí un cigarrillo y esperé a que me atendieran pero no vino nadie. Ya me estaba aburriendo cuando escuché la voz del gallego que me gritaba de atrás del mostrador.

—¿Y? ¿Cómo le fue? ¿Le devolvieron la plata del boleto? —hablaba en tono de cargada y la gente empezó a prestarle atención.

—Toda y actualizada —le contesté porque fue lo primero que me vino a la cabeza.

—Ajá. ¿Y se queda por acá?

—No, me paré a descansar nomás. El camionero sigue esperando que le manden el auxilio.

—Eso es cosa de Castelnuovo. Si lo quiere ir a ver...

Sonreí. Tal vez era un juego que practicaban con todos los forasteros, una diversión o una ceremonia íntima que después festejaban todo el año.

—¿Se puede tomar un café? —le pregunté y ya no me importaba si podía pagarlo.

—¿Y dónde le devolvieron la plata, si se puede saber?

—En Triunvirato.

—Me extraña. No hay estación allá.

Era un día especial para mí. Había recibido carta de mi hija y estaba contento por haber reanudado el viaje. De modo que metí la mano en el bolsillo, saqué el fajo de Coluccini y lo agité delante de todo el mundo.

—Deje el café y traiga un whisky —dije para que me oyeran todos.

El gallego se quedó duro. Al ver que guardaba los papeles puso la mano sobre el teléfono negro que estaba al lado de la caja. Yo tenía el corazón en la boca pero trataba de que no se notara.

—¡Carajo con el ferrocarril! —comentó y se dirigió al del Cinzano que no me sacaba la vista de encima.

—¿Y de qué se ocupa si se puede saber?

—Hago computación.

—¿Y eso rinde? —preguntó el gallego que no se decidía a servirme el whisky.

—Trabajo en el casino como responsable de pérdidas y ganancias —contesté sin pensar en lo que decía.

Se miraron con interés mientras el tipo de bigotes masticaba una salchicha con mostaza. Esa vida cerrada, plagada de chismes y miedos, los volvía hostiles a lo desconocido. Me pregunté qué estaría haciendo en ese momento la mujer que le había dicho no a Lem. Tal vez estaba frente al televisor mirando un melodrama de ricos y famosos; o quizá en la cama, llena de cremas, diciéndole no a su marido. Me hubiera gustado saber dónde vivía para ir a tocarle el timbre y ofrecerle una biblia o una rifa a beneficio de los niños sin hogar. Después pensé que tal vez era la mujer del entrenador o la madre del pibe que me llevó al club y eso me enterneció un poco. Prendí otro cigarrillo y sonreí. El patrón había levantado el teléfono y estaba esperando el tono, pero el del Cinzano tenía sus dudas y lo agarró del brazo.

—¿En serio trabaja en el casino? —me preguntó.

—Ahora estoy de vacaciones.

—¿Y qué me dijo que hacía?

—Cuido que el casino no pierda plata.

—¿Vestido así?

—No, imagínese. En Mar del Plata uso traje y corbata —me reí—. ¿Quiere saber por qué ando así?

—El whisky, ¿solo o con hielo? —me preguntó el gallego, que empezaba a interesarse.

Me levanté y fui a sentarme a la barra a cierta distancia de los dos.

—Hace un mes, cuando mi hija se enfermó, le hice una promesa a la Virgencita. No es que sea muy religioso, ¿vio?, pero cuando uno está desesperado... —lo miré al de bigotes que había pinchado una aceituna y no se decidía a llevársela a la boca—: Ahora aquí me tiene, caminando para Luján.

Se quedaron de una sola pieza, mirando al suelo, hasta que el de bigotes le hizo un gesto al patrón para que le sirviera otra vuelta. Yo todavía esperaba el whisky.

—Oiga, ¿no me dijo que venía en tren? —objetó el gallego, bastante desconcertado.

—No voy a andar contando por ahí que la Virgen le hizo un milagro a la criatura... Yo soy funcionario de Loterías y Casinos.

—¿Loterías también? —saltó el de bigotes.

—Es la misma repartición.

—Dios está en todas partes y la Virgen también —intervino el gallego que empezaba a conmoverse—. Ahora, si va para Luján le aviso que le queda un trecho largo.

—¿Usted sabe por dónde tengo que tomar?

—Y... va a tener que cortar por Junta Grande, después Lobos y de ahí...

—Vea, lo felicito —me dijo el de bigotes—, no sé si yo sería capaz de cumplir, aunque por un hijo uno hace cualquier cosa... Sírvale, Francisco, yo lo invito al señor. ¿Cómo está la criatura?

—Justamente, está muy bien.

—Acá vinieron a bendecir unos curas muy buenos —intervino el gallego—. Desde entonces no se enfermó más nadie.

—Y su trabajo —dijo el de bigotes— es saber el número que va a salir en la lotería...

—No. Para serle honesto es al revés; yo tengo que saber lo que no va a salir.

—¿Para eso sirve una computadora?

—La nuestra sí.

—Ahora veo —dijo y se me acercó despacio—. ¿Y para qué les sirve saber lo que no va a salir?

—Si no el casino ya estaría fundido. Pero discúlpeme, eso es secreto profesional.

—Seguro. Yo, por ejemplo, no le anticipo la apertura del dólar a nadie. Eso es sagrado.

—¿Tiene una casa de cambio?

—Eso es mucho decir. Acá circulan billetes chicos.

—No hay plata chica —le respondí y probé el whisky.

—No sé si entendí bien lo suyo —atacó el otro—, pero si usted sabe lo que no va a salir es lo mismo que si supiera lo que va a salir, ¿o no?

—No exactamente. Queda el orden de aparición. Pero no me pregunte porque no le puedo decir nada, ¿me comprende?

—Perfectamente. ¿Con las cartas es lo mismo?

—Igual. Le agradezco mucho la invitación...

—Faltaba más. Mi nombre es Maldonado. El viaje a Luján, ¿tiene obligación de hacerlo a pie?

—Bueno, creo que sí... Es una promesa.

—Porque yo tengo el coche y lo puedo acercar. Digo, si la criatura ya está bien para qué caminar al cuete, ¿no?

El gallego aprobó con la cabeza y me puso más whisky en el vaso.

—No se moleste, esta noche sigo camino.

—¿Ya se va? ¿No quería verlo a Castelnuovo?

Alguien detrás de mí se echó a reír entre dientes. El de bigote lo debe haber fulminado con la mirada porque el festejo no duró mucho. El gallego me acercó un platito de maníes y otro de aceitunas.

—¿No quiere quedarse esta noche? —me preguntó Maldonado—. Hay gente de afuera que viene a hacer un desafío al truco y un refuerzo no nos vendría mal.

—Mire —le dije en voz baja—, yo tengo prohibido jugar y además no estoy presentable.

—Eso se puede arreglar. ¿Qué necesita?

—Tengo que ver el naipe y hacer los números.

Sacó una calculadora del bolsillo y la puso sobre el mostrador. En la mano tenía una verruga grande como una uva.

—No alcanza —le dije—. Lo mío es álgebra y se necesita una computadora.

Eso lo decepcionó. El gallego vaciló antes de servirme otro vaso y esta vez no me puso hielo. Se miraron un rato tan largo que pensé que iban a llamar a la policía. Al fin el gallego se alejó a la otra punta del mostrador y Maldonado se puso a pelar los maníes del plato. Sin levantar la vista, en voz muy baja, me comentó:

—Lástima. Esta noche hay truco con unos estancieros de Triunvirato que acaban de vender hacienda.

—Qué le va a hacer. Sin computadora es muy difícil.

—Pero no imposible, me imagino. Le consigo un traje de primera y mañana lo dejo en Luján.

—¿Y por qué confía en mí?

—No, no confío. Antes me va a hacer una demostración en una mesa de acá. ¿Qué me dice?

No tuve tiempo de contestarle. En ese momento se abrió la puerta y entró Coluccini vestido con un traje gris y un pañuelo colorado que le cubría media solapa. Estaba recién bañado y se había puesto un perfume tan fuerte que enseguida cambió el aire. Ya no se le notaban los moretones y estaba tan elegante que parecía otra persona. Se acomodó en un taburete, casi enfrente del gallego y apoyó los anteojos con suavidad sobre el mostrador.

—Eccomi qua... —me dijo mientras sacaba un paquete de Winston—. Sono venuto a cercare la rivincita. Ma sta volta giochiamo con le mie carte.

36

Me costaba entender de dónde había sacado el traje y todo lo demás. No tenía el aspecto de alguien que huye de la policía pero con tipos como él nunca se sabe. Me miraba fijo, golpeando el anillo contra la mesa y había conseguido que la atención de todo el bar se desplazara de su lado. No respondí enseguida porque quería saber de qué se trataba; Maldonado manoteó la botella y el sifón y se llenó el vaso sin intervenir. El gallego sudaba y trataba de mantener la serenidad de los buenos patrones del far-west, que nunca se agachan en los tiroteos. Coluccini dijo en italiano que yo lo había esquilmado en Mar del Plata y que había andado una semana de pueblo en pueblo para encontrarme y tomarse la revancha. En un momento se contradijo, habló de Tandil y empezó a meter la pata con una historia imposible. Entonces me dije que era tiempo de mandarle algunas señales.

—No traje plata y tampoco me interesa jugar con aficionados —le dije con tono despectivo—. Si me ve así es porque voy caminando para Luján. Usted no lo entendería nunca.

—Miracoli! —exclamó, un poco más orientado—. En el Club de Leones ha fatto i miracoli! —se dirigió por primera vez a Maldonado—. Mi ha battuto con una coppia di sei e poi è passato con tre re. Le sembra normale, signore?

Le hice una seña discreta a Maldonado para que no hablara de mí y me pareció que eso lo hacía entrar en complicidad.

—Sono sicurissimo che lei gioca con l'aiuto di un computer —me dijo el gordo— ma ora siamo faccia a faccia e voglio vedere se mi batte di nuovo.

—Nunca en mi vida vi una computadora —repliqué y miré al gallego como pidiéndole auxilio.

—El señor es funcionario y está cumpliendo una promesa a la Virgen —atinó a decir, pero Maldonado le guiñó un ojo para que se alejara. Coluccini hacía como que no veía nada pero eso de que yo era funcionario lo tomó de sorpresa y tuve que contenerme para no largar la risa.

—Sicuro che tiene il computer nascondo in macchina.

—Ando a pie —comenté—. Aquella fue una noche de suerte y nada más. Olvídelo.

—Ah, sí? E la Jaguar, che c'ha fatto?

En ese momento Maldonado y el gallego se sobresaltaron y eso me hizo pensar que el coche de Lem no era desconocido en Colonia Vela.

—El Jaguar lo perdí con un tipo más rápido que yo.

—¿De verdad? —saltó Maldonado, que ya no sabía a quién creerle—. ¡No me diga que usted perdió un Jaguar...!

—Entre otras cosas. Pero antes lo había ganado.

—Va bene, se non ha soldi facciamo alcune mani per l'onore. E' d'accordo?

—Si insiste... Yo plata no tengo.

—Pruebe —me dijo Maldonado que subía, triunfal, al pedestal de la picardía criolla—, hasta cien dólares yo lo banco.

—¿Oyó? —le dije a Coluccini—. El caballero es banca hasta cien.

Dudó un poco para ganar tiempo e hizo como si no me hubiera entendido. Se lo repetí de otro modo, tratando de avisarle que debía dejarme ganar.

—Cento m'ha detto?

—Hasta ahí pago.

—Va be', però con carte nuove. Non cè nessuno che parli italiano in questo paese di coglioni?

Nadie acusó recibo y eso lo tranquilizó. Mientras el gallego nos arreglaba una mesa en el fondo y los clientes se acercaban a mirar, me avisó que se tocaría la corbata cada vez que tuviera buen juego.

Maldonado me pasó el mazo y yo le di unas vueltas antes de entregárselo a Coluccini. En cuanto vio lo que el gordo era capaz de hacer con las cartas se puso tan nervioso que tuve que hacerle una seña para tranquilizarlo. Era un espectáculo de prestidigitación digno de un lugar mejor que ése. Abría los naipes como un acordeón, los hacía aparecer y desaparecer como palomas de una galera y antes de devolvérmelos formó un vasto castillo a lo largo de la mesa. Lo felicité mientras todos lo aplaudían y pensé que con eso solo habría hecho fortuna en Australia. La primera apuesta de cinco dólares y otra de veinte las ganó él pero después le di una paliza que sorprendió a todo el bar.

Llevaba perdidos doscientos dólares cuando pidió una tregua para ir a darse una ducha. Yo ignoraba de dónde había sacado la plata pero me pagó religiosamente y a Maldonado los ojos le brillaban como si fueran de vidrio. Se despidió de todos en italiano, pero como se iba derrotado ya no lo aplaudieron y eso debe haberlo afectado un poco. Era un artista arruinado que buscaba la última ovación. Lo seguí con la vista hasta que abrió la puerta y desapareció en la oscuridad. Maldonado estaba exultante, convencido de que yo podía adivinar las barajas de todos los mazos del mundo. Le pidió al gallego que nos sirviera otra vuelta, y cuando los curiosos volvieron a sus mesas se cobró el cincuenta por ciento de la ganancia.

—Mire —me dijo—, esta noche hay una cena y hacemos una mesa de seis con los de Triunvirato en el Rotary. Una vez al año cuando hay una venta grande cada pueblo pone los mejores y se apuesta fuerte. Se hace una fiestita, vienen las señoras y todo es muy simpático aunque hace tres años que no les ganamos y la gente está nerviosa. Ahora, si usted nos hace pata se queda con unos verdes y mañana lo alcanzo hasta Luján.

—Ya vio que tengo un compromiso con el italiano.

—Lo suspende para otra oportunidad.

—¿Cuánto hay en juego?

—Eso no es cosa suya. Acá la gente pone la plata y se forma el pozo. Yo le ofrezco quinientos redondos.

Entonces empecé a entender por qué Coluccini vivía obsesionado por el fijo que le pasaba Salinas.

—Total usted no arriesga nada —agregó.

—¿Y si me denuncian? —protesté—. Yo soy de Loterías y Casinos y puedo perder el puesto.

—¡Vamos! ¿A usted quién lo conoce? ¿Acaso yo le pregunté cómo se llama? Ni siquiera estoy seguro de que lo que me dijo sea cierto.

—¿Entonces por qué no pone a otro? Debe haber tipos muy buenos acá.

—Sí, pero hace dos años que no tenemos suerte.

Lo miré tratando de ganar tiempo antes de darle una respuesta. El gallego entraba y salía impaciente y por las sonrisas y atenciones que me dedicaba deduje que habría puesto mucha plata en el pozo.

—Naturalmente —dijo Maldonado—, la ropa va por cuenta nuestra y se la lleva de regalo.

—No me baratee. Una vez gané un Jaguar.

—Pero después lo perdió. Así es la vida.

—Quinientos no es gran cosa.

—¿Qué más quiere? Además, todavía tengo que reunirme con el Rotary a ver si me aprueban la idea.

Yo necesitaba saber cuál era el juego de Coluccini pero mientras tanto me dije que no perdía nada con aceptar. Le pedí que mejorara la oferta y aceptó seiscientos más la ropa. Para saber las medidas lo consultó al gallego; los dos se midieron conmigo, espalda contra espalda y concluyeron que mi talle era el de un tal Roch que también iba a estar en la cena.

—Bueno, por si le preguntan usted es subgerente del banco y se llama Rufino. ¿Se va a acordar?

—Rufino, sí. ¿Tengo familia acá?

—Por supuesto. Esposa y dos hijos. Luego le presento a la señora porque tienen que verlo con ella en el Rotary. No le ofrezco ir al hotel porque ahí están los de Triunvirato. Quédese en la pensión de enfrente que enseguida le hago llevar el traje. Aféitese bien y límpiese las uñas.

—Qué hago con el tano?

—Lo llama por teléfono y le pide disculpas. Si no quiere entender me avisa y lo hacemos detener por esta noche. El comisario puso un paquete de plata y va a estar con nosotros en la mesa.

37

Llamé a Coluccini y le dije que se viniera de inmediato para la pensión. Estaba instalado en el único hotel del pueblo con un nombre supuesto pero ni bien empecé a describirlo me pasaron con él. No debía estar solo porque me respondió en italiano y se hizo el que apenas me conocía; yo tampoco podía contarle todo porque cerca había dos gauchos que tomaban mate y jugaban al dominó.

—Mi aspetti in camera, ingegnere —me dijo Coluccini y colgó sin dejarme terminar.

La pensión era mejor que la de Triunvirato. Tenía ropero, un lavatorio con espejo, ducha y hasta una toalla limpia. Lo primero que hizo Coluccini cuando llegó fue ir a orinar en el lavatorio. Mientras se cerraba la bragueta sacó un cepillo de dientes y una prestobarba nueva y me los tiró sobre la cama. Estaba de punta en blanco, con zapatos nuevos y una camisa distinta a la que le había visto en el bar. Parecía mucho más joven y nadie se lo habría imaginado hecho una miseria, tirado entre los yuyos. Le pregunté de dónde había sacado todo eso y cuando me lo iba a contar golpeó a la puerta un paisano que me traía la ropa "de parte del doctor Maldonado".

—Bueno, veo que usted tampoco perdió el tiempo, Zárate —me dijo el gordo cuando el otro se fue.

—Rufino. Ahora me dicen Rufino y soy subgerente de un banco que no sé cómo se llama.

—Banco Ganadero. ¿Sabe cuánto podemos sacar?

—A mí me prometieron seiscientos dólares pero es muy arriesgado.

—Le dan un fijo... —dijo con un suspiro de decepción mientras se sentaba en la cama levantándose el pantalón por las rodillas—. ¿Sabe dónde está lo lindo? Los de Triunvirato se quedaron sin plata. No tienen ni para pagar el hotel.

—¿Usted sabe lo de esta noche?

—Claro que sé, ¿por qué se cree que fui al bar?

—¿En qué anda, Coluccini? ¿Quién le prestó esa ropa?

—Su socio. Dejó el tendal en el hotel.

—¿Lem? Oiga, no joda.

—Desplumó a los estancieros y ahora hay un clima bastante pesado. Se llevó por lo menos cien mil verdes.

—No le creo una palabra. ¿Dónde dice que lo encontró?

—En la olla popular. Fui a esconder el coche y me encontré con un Jaguar. Enseguida pensé "este tiene que ser el socio de Zárate" y ahí estaba él, charlando con el curita. Un tipo bastante raro, si me permite la observación. Cuando le dije que usted venía conmigo me pidió que le avisara que todo había salido bien.

—¿Por qué le dio el traje?

—Porque se lo pedí. Le dije que íbamos a probar suerte acá, que queríamos llegar pronto a Bolivia. Ahí me enteré de que les había pasado con la topadora a los de Triunvirato. "Dígale que todo salió bien y que ya estoy cumplido", me dijo.

—¿Algo más?

—¿Le parece poco? Ah, sí... que no cruce el alambrado o algo así, no me acuerdo bien. La cuestión es que me dio una valija en la que había de todo. Menos mal que revisé porque la ropa no es de la que se vende en los negocios, le aseguro. Vea, este saco no me lo puedo abrochar y al pantalón le tuve que hacer un corte atrás, pero no se nota, ¿no?

—Muéstreme.

Se dio vuelta y levantó el faldón. No era mala idea para salir del paso: había abierto la costura de manera que le calzara en la barriga. El saco lo tapaba todo pero si se llegaba a agachar estaba perdido.

—Esta es nuestra oportunidad, Zárate. Los de Triunvirato no pueden suspender la partida y tampoco pueden perder porque no tienen efectivo. ¿Me sigue?

—Más o menos. Pueden pagar con cheque.

—¿Una deuda de juego con un cheque? ¿Con qué excusa? ¿Que un desconocido pasó por el hotel y los desplumó a todos? Sería un papelón. Esta fiesta tiene una tradición de ochenta años.

—¿Cómo sabe todo eso?

—Porque me alojé en el hotel. Su socio me dejó unos pesos para usted.

—¿A los de Triunvirato los enganchó ahí?

—Sí. Son bastante blanditos. La plata que usted me ganó me la dieron ellos. Esta noche uno va a tener un infarto o algo así y yo voy a ocupar su lugar.

—Los otros se pueden oponer.

—No, yo estoy haciendo negocios de hacienda en Triunvirato y todo el mundo vio que usted me destrozó en cinco minutos. Además, si ellos preguntan por mí nosotros empezamos a preguntar por usted. Pero eso no va a pasar; esto es un encuentro de caballeros. Dos familias que se reúnen como en un cumpleaños. Si no jugarían al póquer.

—¿Y cuál es su idea?

—No se haga el tonto. Ya sabe que tiene que ir a menos.

—No, Coluccini. No salgo vivo.

—Vamos, prepárese que no tenemos mucho tiempo. Los de Triunvirato saben que estamos negociando pero los de acá creen que vine a seguir la partida del bar. Usted me gana de nuevo, ¿de acuerdo?

—No vaya tan rápido.

—¿Cuánto le parece que hay en el pozo?

—No me lo quisieron decir —le contesté y me metí bajo la ducha. El agua estaba fría pero me hizo bien y me quedé un rato esperando que me aliviara de los magullones. Luego me afeité con la prestobarba y el jabón. Mientras el gordo hablaba pensé que tal vez hubiera hecho mejor en irme con Nadia.

—No me está escuchando —rezongó Coluccini—. ¿No quiere saber de cuánto es el pozo?

—Eso no me sirve de nada si voy preso o me pegan un tiro. El comisario puso mucha plata, ¿sabe?

—Noventa mil dólares juntaron.

—¿Cuánto dijo?

—¡Esta vez nos salvamos, Zárate! Bolivia la pasamos de largo y nos instalamos en Miami. Dele, vístase, a ver cómo le queda el traje —sacó una servilleta de papel y la desplegó sobre la mesa de luz—. No se preocupe por los detalles que tengo todo bajo control.

Me puse la camisa y el pantalón y me acerqué a ver de qué se trataba. Era el croquis de una casa con frente a la calle. Le encantaban los planos, y aunque no le creía nada de lo que me había dicho no tenía otra cosa que hacer y me fui dejando llevar por su entusiasmo.

—¿Ve? Esta es la habitación donde se juega. En esta otra se hace la cena. El baño de hombres está acá —puso el dedo sobre un cuadrado marcado con una equis—, y esta es la cocina con un ventiluz que da al patio. ¿Me sigue?

—Sí, pero no me convence —hice el nudo de la corbata y me di vuelta para mirarme al espejo. Hacía mucho tiempo que no me veía tan elegante.

—El primer chico lo ganan ustedes y el segundo nosotros. En el bueno yo le voy a dar 32 a uno de ellos y 33 a un capitán de corbeta que juega conmigo. Con 32 de mano es difícil que no se prendan.

—¿Usted puede manejar las cartas?

—Si doy yo, sí. Usted corte bien bajo cada vez que vea que me estoy tocando la corbata —me alcanzó un peine y me acompañó al lado del espejo—. Pero ojo, cada vez que ustedes liguen fuerte hágamelo saber. Por ejemplo, se toca el reloj.

—El reloj se me rompió hace mucho.

—El puño de la camisa, entonces. El derecho para el tanto, el izquierdo para el truco. Yo voy a hacer lo mismo un par de veces para que usted me adivine las cartas y pueda lucirse, ¿de acuerdo?

—No me gusta. Seiscientos dólares son más seguros.

—¿Y quién le dice que si vamos a cara de perro van a ganar ustedes?

—Qué sé yo. Muéstreme el plano ese.

—Cuando el partido termine nos levantamos para saludarnos. Yo les doy conversación y usted hace como que va para el baño pero sigue hasta la cocina. Abra la ventana y salte al fondo. Si llega a estar cerrado váyase por el baño. De ahí, saltando un paredón sale a la calle. El coche está atrás de la estación entre unos ligustros, justo frente a la capilla.

—Conozco.

—¿De cuándo conoce?

—Del día que me mordió el perro.

—Venga con el auto y me levanta frente al hotel.

—¿Qué garantía tiene de que le paguen?

—¿Quién dijo que voy a ir a cobrar? ¿Tengo cara de gil, yo?

—Eso no lo entiendo.

Sacó la billetera donde tenía otros cincuenta dólares y un cheque extranjero con más colores que un jardín florido.

—¿Ve? Treinta mil, que son nuestra parte. Sobre Miami, como corresponde. Con esto no se juega.

—Le falta la firma.

—Bueno, es lógico. Cuando aparezcan las 33 se la van a poner.

—Permítame que desconfíe un poco. ¿Y si no lo firman?

—Usted ya va a estar saltando por la ventana. Entonces yo podría decir la verdad, que usted iba a menos.

—Y todos salen corriendo detrás mío.

—¡No puede pasar, Zárate! Imagínese el escándalo. Un pueblo que le declara la guerra al otro. No, esto es asunto de caballeros. Para los de Triunvirato lo importante es salir del apuro. ¿Entendió? ¿Le queda alguna duda?

—Sí: el ventiluz ese, ¿no tendrá barrotes?

Se echó a reír y se puso de pie con cuidado para que no se le estropeara el pantalón.

—Tiene razón su socio. Usted es de un pesimismo incurable.

38

Antes de irse Coluccini llamó al gaucho y le pidió que le cambiara los cincuenta dólares en billetes chicos. Ahí nomás el paisano metió la mano en el entresijo de la bombacha y le dio dos de veinte y uno de diez. El gordo hizo como que me pagaba y no dejó pasar la oportunidad de advertirle al tipo que nunca jugara conmigo si no quería perder el negocio y todo lo que tenía. Después salió con él, sin saludarme, y me quedé solo en la pieza. La ropa de Maldonado no era de última moda pero estaba casi nueva y recién planchada. Me pareció evidente que no consultaba sus decisiones con nadie y si el proyecto de Coluccini salía bien iba a tener que escaparse atrás de nosotros. Me senté a pensar en los lados débiles del plan y le encontré tantos que al final sólo me importaban el ventiluz de la cocina y la claraboya del baño. Me dije que aunque consiguiéramos escapar y por más ventaja que le sacáramos a la policía, el patrullero nos iba a perseguir hasta el infierno. Por un instante tuve la tentación de abandonarlo todo, pero Coluccini ya se había metido hasta la cabeza y me daba no sé qué dejarlo en la estacada.

Fui a pedirle papel y un sobre al paisano y le escribí a mi hija. Le conté que me iba bien y que estaba contento de haber regresado; también le puse que estaba trabajando en un proyecto de interconexión informática de todas las usinas del país; que viajaba mucho y que por eso las cartas se perdían. Agregué una posdata en la que le prometía que cuando terminara mi contrato iría a visitarla y después fui a dejarle la carta al paisano para que la despachara cuando abriera el correo. En ese momento llegó un tipo rubio, peinado a la brillantina, que debía ser el galán del pueblo. Llevaba un traje cruzado y una corbata a rayas que se arregló frente al espejo del vestíbulo. Se quedó admirándose un momento hasta que me identificó y me dijo que venía de parte del doctor Maldonado para llevarme a conocer a la que iba a pasar por mi señora. Le dije que estaba listo y subimos a una camioneta toda embarrada en la que fuimos hasta un chalet de ladrillos que tenía un jardín muy coqueto. Durante el viaje me guiñó el ojo un par de veces, me avisó que mi esposa era su hermana y que todo el pueblo estaba pendiente de mí.

La mujer era gordita pecosa que llevaba un anillo de matrimonio y se había vestido como para la Fiesta de Primavera. El marido estaba sentado en un sillón, con las botas puestas y por la cara que ponía me di cuenta de que el chiste no le gustaba nada. Lo primero que hizo fue preguntarme por qué yo no llevaba una alianza. El galán advirtió el detalle y se alarmó bastante, pero lo arregló ordenándole al otro que me prestara la suya. Lo que siguió no fue muy honroso para el marido pero la rubia lo tomó como una gracia o como una venganza y se largó a reír. El galán fue al baño y volvió con una brocha para enjabonarle el dedo al otro. Los dos se pusieron a tironear pero el anillo tardó en moverse. La gordita se divertía con ganas y tuve la sensación de que no había gozado de la vida. No debía tener treinta y cinco años pero seguro que dormía vestida y no conocía otra cosa que ese pueblo y ese tipo con olor a bosta. Al final el anillo zafó y ella me lo puso a mí como si con ese gesto pudiera empezar todo de nuevo. Por un momento me dio pena tener que escaparme por la ventana. Le pregunté cómo se llamaba y para mortificar al marido conté que me había divorciado en Europa, cuando trabajaba en el casino de Montecarlo. El hermano, que no escuchaba nada, dijo que Alicia y yo teníamos que salir enseguida para el Rotary y sacó del bolsillo un mazo de cartas flamantes.

—Así van a estar cuando empiecen a jugar —me dijo.

Me tomó de sorpresa pero no hice ademán de agarrarlas. Me dije que tal vez querían probarme otra vez y no iba a dejarme impresionar. Me quité el saco y le dije que pusiera el mazo sobre la mesa mientras me estiraba los dedos para sacarles un poco de ruido. Al lado de las cartas había un bloc de recetas de un negocio de veterinaria. Los tres me miraban como si esperaran un milagro pero lo único que se me ocurrió fue dar vuelta a varios naipes y anotar en el bloc algunos logaritmos indescifrables. Le pedí al marido que cortara y fingí hacer una larga operación de raíz cuadrada.

—Está bien —dije—, pero si me cambian el orden de las cartas me puedo perder.

—Maldonado arregló todo —dijo el Rubio y miró el reloj—. Si le parece, ya pueden ir. Vos, Alicia, calladita, ¿eh?

Ella bajó la vista y aunque fuera por un instante debe haberlos borrado de su existencia. Esperaba de pie, con la cartera entre las manos y el vestido floreado que le llegaba abajo de las rodillas. Me levanté y le hice una sonrisa mientras el rubio me tendía las llaves del coche.

—Estacione en la entrada, ingeniero. Mi hermana le va a indicar.

Le di la mano al marido que miraba para otra parte y abrí la puerta del Peugeot para que ella subiera primero. Se quedó tan sorprendida por el gesto que no supo qué hacer hasta que la tomé de un brazo y comprendió que era como en las películas; me devolvió la sonrisa y se sentó de la manera más elegante que pudo.

—En la esquina doble a la derecha —me dijo y de pronto la voz se le apagó.

Encendí las luces y arranqué despacio. No bien la casa desapareció del retrovisor encendió un cigarrillo y se recostó en el vidrio.

—¿De verdad estuvo en Montecarlo?

—De verdad. Hay una playa y un príncipe.

—¿Y qué hace acá?

—Cosas de la vida.

—Usted es un impostor, ¿verdad?

—De algún modo todos lo somos. ¿Le interesa la filosofía?

Se echó a reír y me dijo que fuera más despacio, que le daba vergüenza lo que estaba haciendo.

—Por lo menos allá en Montecarlo se burlan de todo el mundo.

—No esté tan segura. También el príncipe tiene sus problemas.

—Pero hay princesas y puede elegir. Dé una vuelta a la manzana, por favor.

Doblé por la avenida, pasé frente a la farmacia y me detuve a la entrada de la calle de Castelnuovo. Los perros que nos ladraban eran muchos, pero enseguida reconocí el chumbido del que me había mordido.

—¿Sabe lo que haría yo en su lugar si creyera que no puedo elegir? Me acostaría con el cura que es buena persona. O con el tipo que entrena a los chicos del club, no sé cómo se llama. Si no, hágase maestra rural o sáquele la plata y el auto a su marido y mándese mudar pero no me diga que no puede elegir. Sobre todo usted. Diga que no tuvo coraje y listo.

—Usted no entiende —me dijo, herida—. Los hombres siempre piden demasiado. Vamos que se está haciendo tarde, por favor.

Hicimos seis cuadras en silencio y cuando detuve el auto frente al Rotary estaba tensa como una vara de acero. Los invitados ya iban llegando y un tipo parado en la puerta les daba la bienvenida.

—Tengo una amiga que conoció a un hombre de otro mundo y le propuso que se fuera con él. Era un hombre harto de todo, que no iba a ninguna parte. Primero ella dijo que sí y se hizo muchas ilusiones pero después se dio cuenta de que se engañaba.

—Mentira —la interrumpí—. Tuvo miedo.

Me miró y se acurrucó contra la puerta apretando la cartera entre las manos.

—¿Usted qué sabe? —me replicó con desprecio mientras tiraba el cigarrillo por la ventanilla.

—Yo estaba allí —le dije—. El se conformaba con una sonrisa y un gesto lejano, ¿se acuerda? Ahora baje, señora, que estamos llamando la atención.

39

El tipo de la puerta nos hizo una reverencia exagerada. Al pasar al salón un mozo se apresuró a servirnos unos bocaditos mientras todos me saludaban como viejos amigos sin olvidarse de agregar mi nombre para que los de Triunvirato vieran que yo era de la familia. Alicia parecía un poco turbada pero se mantenía a mi lado como una buena esposa. Todo el mundo se había puesto la mejor ropa, las luces de las arañas estaban encendidas a pleno y sobre las paredes había pinturas con caballos criollos y fotos de toros campeones.

Me presentaron a los de Triunvirato que también estaban con sus mujeres pero nunca se hizo referencia a la partida. Coluccini, que llevaba a una rubiecita simpática colgando de un brazo, hablaba una jerigonza incomprensible y cuando me dio la mano me llamó "onorevole". El cura era el mismo que había visto la otra vez en el funeral. Llevaba una sotana de verano y parecía de acuerdo con todo lo que se afirmaba sobre exportaciones y tipos de cambio. Charlamos un rato de vaguedades y comprendí que para ellos era un día muy especial porque hacían chistes íntimos y alusiones a gente que no tenía mérito para estar allí. Un viejo que parecía medio sordo insistía en llamarme Rufoni en lugar de Rufino y eso creó cierto malestar hasta que su mujer se lo llevó del brazo a hablar con el comisario.

Maldonado llegó justo antes de la cena. Nos saludó a todos y se fue al otro salón a dejar un portafolios en el que debía estar la plata. Al volver se sentó frente a mí y como lo miré fijo asintió con mucha prudencia para indicarme que todo marchaba bien. Un tipo que estaba algo borracho le preguntó a Alicia cómo andaba su marido y ella le respondió que muy bien mientras me miraba con una sonrisa ancha y me tomaba la mano a la vista de todos. Los de Triunvirato hacían como que no escuchaban y parecían mejor entrenados, tal vez porque eran pocos y tenían miedo, aunque allí se notaba la mano de Coluccini. Yo traté de hablar lo menos posible y me fijé cómo se comportaban en la mesa. El más cuidadoso era un capitán de navío o de corbeta que tenía alguna experiencia en el manejo de los cubiertos y fue el que separó más fina la cáscara del melón. Los otros cortaban como podían y algunos hasta pusieron el jamón arriba del pan. Alicia estaba apenada y casi no tocó su plato. Tenía necesidad de explicarme algo pero temía arruinar el plan de los suyos.

Antes de que sirvieran el postre se paró y salió por un pasillo que no figuraba en el dibujo de Coluccini y ahí me di cuenta de que todo el plano estaba mal hecho. Por las dudas me fijé por dónde entraban y salían los mozos, calculé el alto de las ventanas que daban a la calle, y cuando Alicia volvió con el maquillaje arreglado le pregunté dónde quedaban los baños.

Mientras tomábamos el helado me pasó un mensaje por debajo de la mesa y me preguntó en voz baja si yo los había visto juntos, a su amiga y al extranjero del Jaguar. Le respondí que sí sin decir más porque Coluccini nos miraba de reojo, inquieto por la conversación. Ella se inclinó a mi espalda fingiendo que le preguntaba al cura sobre una colecta de caridad y sin esperar la respuesta me susurró al oído:

—¿Cómo es él?

—Olvidable —le dije.

Mientras servían el café, Maldonado se puso de pie para agradecer la visita del Rotary Club de Triunvirato y se largó a hablar maravillas del gobierno. Fue un discurso corto y sin mucho entusiasmo, pero hubo muchos aplausos y después habló uno del otro bando que dijo más o menos lo mismo. Al final Maldonado nos invitó a una reunión para evaluar las tendencias del mercado de hacienda y los que íbamos a jugar nos pusimos de pie. Al ver que Coluccini también se paraba, Maldonado me miró para saber si me le animaba de nuevo. Le hice seña de que sí y me acerqué a devolverle la llave del coche de Alicia.

—Y ella, ¿cómo es? —le pregunté.

—Inolvidable —me susurró con una sonrisa contenida.

En ese momento Maldonado me tomó de un brazo y me llevó con los otros.

40

El primer chico lo ganamos fácil y en el segundo yo me lucí varias veces gracias a las señas de Coluccini que me avisaba si ellos tenían el as de espadas o el de bastos. Estábamos iguales en el puntaje cuando de nuestro lado el comisario ligó 28 pero el gordo me avisó que él tenía 29 de oros y echó real envido. Yo les dije a mis compañeros que no había que dar pero el comisario argumentó que eran sólo tres puntos y que el italiano era un fanfarrón que no tenía nada. Yo lo miré a Maldonado y le dije que a mi juicio uno de ellos había ligado mejor.

—Andan sueltos 29 de oro —dije como para mí.

El comisario insistió en que se tenía confianza y sin consultar más pegó un grito de "quiero 28, qué mierda". Todos lo miramos a Coluccini que hacía una morisqueta sobradora mientras jugaba el cuatro de oros.

—Ventinove sono meglio —dijo y se dirigió hacia mí un poco agresivo—: Lo ha indovinato o gliel'ha detto il computer, ingegnere?

No le contesté pero me di cuenta de que Maldonado y el comisario habían escarmentado y me miraron como pidiendo disculpas.

—Así vamos a rifar el partido —protesté y ese incidente justificó que perdiéramos el segundo chico y tuviéramos que jugar el bueno. En verdad yo no canté una flor que me tocó casi sobre final y las veces que Maldonado y el comisario tuvieron juego fuerte se lo hice saber a Coluccini tocándome los puños de la camisa, como él me lo había pedido.

Lo más bravo vino en el desempate porque el comisario ligaba todo, y por más señas que yo le hiciera al gordo empezamos a acumular ventaja y los de Triunvirato se pusieron nerviosos. Maldonado parecía convencido de que yo podía adivinar el juego y como estaba bastante borracho empezó a agrandarse y a decir groserías. El comisario también tenía un estilo fogoso y la única salida que les quedaba a Coluccini y los suyos era escapar a cada grito que les pegábamos. En los pica pica yo iba a menos para que achicaran la diferencia pero ni siquiera así les alcanzaba.

Teníamos ocho buenas y les llevábamos cuatro tantos de ventaja cuando Coluccini mezcló las cartas y me miró como diciendo que había llegado el momento. Era tiempo de cortar bien abajo y rogar para que los naipes se presentaran como él quería. Maldonado no paraba de hacer chistes de mal gusto y se burlaba del gordo y del tipo que le había respondido el discurso. El tercero que jugaba para Triunvirato era el capitán de navío que no parecía haber visto nunca el mar pero imponía respeto por una cicatriz que llevaba en la frente. Era bastante viejo y se arrogaba el privilegio de haberle disparado un cañonazo a Perón en el 55; a pesar de eso, en cuanto perdió un vale cuatro Maldonado empezó a fumarle los cigarrillos y a llamarlo "mi sargento". El clima se puso bastante pesado y yo miraba las manos de Coluccini que fingía mezclar y nos semblanteaba a todos de reojo. Corté como me lo había indicado y las cartas empezaron a caer a toda velocidad cerca de los pocillos del café. Lo primero que recogí fue el as de bastos, que vino acompañado de dos sotas. Levanté la mirada y vi que el comisario movía el bigote para avisarme que tenía el siete de oros. Yo le hice el guiño del as y ordené que vinieran tranquilos al pie. Cuando me llegó el turno pregunté si tenía que cantar algo.

—Yo tengo las viejas —dijo el comisario—. No sé usted qué opina.

—Está pesado el ambiente —le advertí, y me di cuenta de que tenía las 32 que me había anunciado Coluccini.

—Tóquelos para probar —me pidió.

—Envido, entonces —dije casi en voz baja y saqué un cigarrillo. El capitán de navío miró los porotos pero Coluccini, que se había puesto todo colorado, dio un puñetazo sobre la mesa y gritó en puro criollo:

—¡Falta envido, qué carajo!

Al comisario le empezaron a relucir los ojos pero no se tiró al agua enseguida. Lo miró a Maldonado y después me preguntó qué podía tener el italiano.

—Hay dos figuras grandes que andan juntas —le dije—. Si no las tiene usted, desconfíe.

—Tranquilo, ingeniero —me respondió y sin darme tiempo a hacer un poco de teatro lo encaró al marino con una sonrisa triunfal.

—Se jodieron, mi capitán —gritó y se le arrastraba la voz—: ¡quiero 32!

—¡Qué manera de ligar! —se quejó el de Triunvirato que había contestado el discurso y tiró las cartas sobre la mesa como quien se da por vencido.

—No se apure, compañero —lo paró Coluccini y empezó a improvisar mientras orejeaba los naipes—: "Tengo en la mano un misterio / tengo en el alma un dolor / no guarde todavía el trabuco / ciento treinta y tres y le digo truco".

Al principio no se lo creyeron pero Coluccini tenía un aire de gravedad, como si recogiera las maderas de un naufragio. Yo me dije que era tiempo de prepararme para saltar por la ventana y me guardé el paquete de cigarrillos.

—Lo dice en joda —balbuceó Maldonado pero no estaba nada seguro.

—El caballero gritó truco —insistió con dulzura el capitán de navío mientras el del discurso volvía a contar los porotos. El comisario me miraba azorado, como si me pidiera cuentas.

—Le avisé que había figuras grandes —dije.

—¿Y ahora qué me aconseja? —me preguntó con un odio que le iba a durar toda la vida.

—¡Dale, atorrante, preguntale a la computadora! —me aguijoneó el gordo que había archivado el italiano.

—Usted tiene mi seña —le dije al comisario—, yo hago la primera.

—¿Le queda un tres? —preguntó Maldonado.

—Y más también —contestó el comisario.

—Entonces quiero retruco, señores —dijo Maldonado que hacía los cálculos del puntaje y trataba de mantener la calma.

—¡Quiero vale cuatro! —se agrandó Coluccini y se jugaba entero. Había dado las cartas para que se cruzaran a la perfección y si aceptaban el pozo se iba para Triunvirato.

—Ahora nos quiere correr —dijo el comisario—. No se achique que están mintiendo.

—Quiero ver —dije yo, para cerrar de una vez por todas, y cuando el gordo puso un tres se lo maté con el as de bastos. Después jugué una de las sotas y esperé a ver qué ocurría. El comisario puso el siete de oros y Coluccini, antes de seguir, le pasó al tipo del discurso unos papeles entre los que reconocí el cheque en colores.

—Fírmeme un autógrafo —dijo el gordo—, para tener de recuerdo.

Como si bromearan el tipo firmó una hoja suelta y también el borde amarillo del cheque. Coluccini se guardó los papeles con un movimiento displicente y puso el as de espadas sobre la mesa. Entonces levantó los ojos hacia el capitán de navío y le dedicó una sonrisa ancha como una tajada de sandía.

—Muéstreles su naipe, almirante.

Era el siete de espadas, como yo me imaginaba, y la partida se terminó allí porque Coluccini tenía treinta y tres de verdad. Maldonado se puso del mismo color que el tapiz de la mesa y me miraba con estupor. Al comisario se le había apagado el cigarrillo entre los labios y lo estudiaba a Maldonado igual que a un preso antes del interrogatorio. De pronto el gordo se puso de pie, nos tendió la mano a todos y me hizo una sonrisa amistosa.

—E' stato un piacere, dottore. La fortuna cambia di mano ogni momento perche tutti siamo felici, vero?

—Si me permiten voy a pasar al baño... —dije.

—Naturalmente, ya puede apagar la computadora —respondió Coluccini.

—¿Y el as de espadas? —me preguntó Maldonado que seguía boquiabierto—. ¿Qué me dice del as de espadas?

—Mándeselo envuelto a Castelnuovo —le dije y salí para ir a la cocina. Como me lo temía, la puerta estaba cerrada y fui a tentar suerte por la claraboya del baño.

41

El cuarto estaba ocupado y en el corredor había unos cuantos tipos esperando turno. Al verme llegar, un petiso lleno de granos me preguntó si la reunión ya había terminado y me pareció que lo mejor era decirle que no, que la discusión estaba muy pareja y que el final sería muy reñido. Todos paraban la oreja y un colorado de aire bonachón me dijo que pasara primero, que ellos podían esperar. Como el que estaba adentro se demoraba, el colorado le golpeó la puerta y le gritó que se apurara, que el partido estaba suspendido por culpa suya.

El otro salió enseguida, abrochándose los pantalones y me hizo una reverencia como si se cruzara con el dueño del Citibank. Les di las gracias a todos y cerré la puerta detrás de mí. La claraboya era de vidrio esmerilado y estaba muy alta, cerca del cielo raso. Me saqué los zapatos, los até al cinturón y subí al inodoro con mucho cuidado. Desde allí podía alcanzar la manija pero me di cuenta de que me iba a ser difícil abrirla. Me encontraba en esa posición, forcejeando y tratando de no resbalarme, cuando escuché un murmullo que llegaba del otro lado de la puerta. Se había armado un alboroto y alguien pedía hablar con el ingeniero Rufino. Le grité que ya salía y me colgué de la manija para escalar la pared. Había ocurrido algo imprevisto y tenía que largarme de allí cuanto antes. Ya estaba llegando a la altura de la claraboya cuando me agarró un calambre que me retorció la espalda. Los del corredor se pusieron a empujar la puerta y la voz que antes me había llamado ingeniero empezó a insultarme de arriba abajo. Había llegado a la claraboya cuando escuché al propio Maldonado que me gritaba "guacho de mierda", "porteño mal parido" y cosas por el estilo. El calambre me tenía mal pero la puerta ya estaba cediendo y no era momento de pararme a contestar. Le di una patada al vidrio y escuché el ruido de los pedazos que caían al suelo; justo en el momento en que el colorado y los otros derribaban la puerta tomé envión y me tiré por la ventana.

Fui a dar sobre unos tachos de basura y desparramé una pila de botellas vacías mientras en lo de un vecino empezaban a alborotarse las gallinas. El calambre me hizo sudar más que el susto pero por suerte se desanudó con el último tumbo. Al ponerme de pie sólo sentía la urgencia de huir de allí. Pensé que el comisario habría llamado a los vigilantes y me dije que lo más seguro sería trepar a los techos para buscar una salida al otro lado de la manzana. Me subí a la tapia del fondo y fui gateando hasta un tinglado de chapas. El gallo estaba haciendo un escándalo y pensé que todo el mundo iba a salir a curiosear. Mientras me tomaba un respiro traté de imaginar qué había pasado para que el plan se derrumbara tan pronto, y supuse que a esa altura Coluccini ya estaría camino del calabozo y esta vez no podría hacer nada por él.

Salté a una azotea y de allí a un techo que comunicaba con los de casi toda la manzana. Me asomé a mirar la calle y vi a un vigilante que llegaba corriendo; eso me hizo pensar que tal vez no habían tenido tiempo de cambiarle la rueda al patrullero. Pasé de casa en casa hasta que a lo lejos vislumbré los faroles de la capilla. En la esquina me asomé a un potrero en el que había carros y caballos que nadie cuidaba y bajé con precaución, agarrado a la pared, deslizando los pies para no arruinar el traje que me gustaba tanto. Al llegar al suelo me fijé si no andaban perros sueltos y me calcé los zapatos. Los caballos movían las patas inquietos pero no hicieron ruido. Nadie había encendido la luz y el pueblo me pareció tan muerto como Junta Grande. Fui a abrir el portón de madera y sin saber muy bien por qué desaté los animales del palenque y los azucé hasta que salieron a la calle. De pronto se me había ido el miedo: estaba otra vez en la infancia y en mi pueblo y todo lo que había aprendido de grande no me servía para nada. Subí a un tambor de aceite y de allí salté sobre un overo bastante matungo que se había retrasado en el baldío. El caballo se dejó hacer y lo saqué al trote, camino de la estación. Hice tres o cuatro cuadras y en una esquina me topé con un paisano de sombrero ancho y cinta al cuello que montaba un tordillo y se paró a pedirme fuego. Nos miramos en silencio bajo el farol, con los caballos casi tocándose y le pasé el encendedor. Llevaba bombacha negra y una flor en el ojal. Prendió un negro ya fumado hasta la mitad y recién después me miró con alguna curiosidad.

—Disculpe si lo demoro, don, pero ando un poco extraviado.

—¿Para dónde va? —le pregunté.

—Pa' la cordillera.

Las calles estaban desiertas y pensé que tal vez éramos los últimos jinetes de ese apocalipsis de pacotilla.

—No sabría decirle.

—Se agradece igual.

—Haga como que no me vio —le pedí.

—Ni qué decir.

Me saludó tocándose el ala del sombrero y se alejó con las espuelas reluciendo en la negrura. En la espalda llevaba un número como si volviera de una cuadrera. Yo seguí por una calle de tierra hasta que encontré los matorrales donde estaba escondido el Gordini. A lo lejos vi a la gente que volvía de comer en la capilla y dejé el caballo para no llamar la atención. El manchado se quedó a un costado del camino, como perdido, hasta que le di una palmada y empezó a trotar de vuelta al potrero.

El coche arrancó sin problema pero me pregunté si después de lo que había ocurrido tenía que seguir al pie de la letra las instrucciones de Coluccini. Decidí ir para el centro y cuando llegué a la calle de la comisaría doblé en segunda, listo para acelerar a fondo. El patrullero seguía en el baldío pero le habían sacado la rueda desinflada. En la puerta estaba el comisario hablando con tres vigilantes que serían toda la tropa. Uno de ellos vio pasar el coche y dio el aviso mientras prendía la linterna. No le hice caso y seguí de largo con los faros apagados. Dejé atrás la plaza y doblé por la avenida. Decidí volver a la ruta para abandonar el coche y esconderme en el campo cuando vi a Coluccini que cruzaba la calle agitando los brazos. Prendí las luces para estar seguro de que no me equivocaba: el gordo había perdido el saco y entre los flecos de la camisa se le veían todos los magullones que había acumulado a lo largo del viaje.

42

Abrió la puerta y antes de tirarse sobre el asiento me dijo que arrancara, que venían pisándole los talones. Apagué los faros y pisé el acelerador a fondo. Casi me llevo por delante la estatua del general Roca, pero conseguí enderezar por la avenida mientras Coluccini me decía de todo. Una vez que salimos a la ruta prendí los faros y al rato encontramos de nuevo el camión de las sandías. El chofer nos hizo señas como si no nos conociera pero esta vez pasamos de largo. El tipo estaba sentado en un cajón, cubierto de andrajos y alrededor volaba una nube de moscas.

—No se imagina, Zárate —se lamentó Coluccini y casi lloraba—. Me largaron los perros esos hijos de puta.

—¿Qué pasó?

—Su socio me dio un saco con los bolsillos descosidos y cuando salíamos caminando para el salón se me empezaron a caer los naipes. Yo daba un paso y el as de espadas que caía al suelo, otro paso y una mujer que me devolvía el siete de oros... Casi me matan.

—¿Eso no lo había previsto?

—No, ¡cómo iba a pensar que su socio lleva los bolsillos descosidos!

—¿Había dos juegos de cartas?

—Y claro, ¿cómo se cree que hice para tirar las 33?

—Gracias que pudo zafar.

—Salí corriendo. Atrás del guardarropa había un corredor que daba a la cancha de tenis. Ahí fue donde me largaron los perros. Una jauría, le juro.

—¿Tiene el cheque?

—Claro que lo tengo.

—Yo le desinflé una goma al patrullero.

—¿De verdad? —me miró asombrado, como si me descubriera virtudes insospechadas—. ¡Usted es un astro, Zárate!

—No se entusiasme, cuando pasé lo estaban arreglando.

—¡Carajo, hay que esconder el auto ya mismo y guardarse por un tiempito!

—¿Dónde lo vamos a meter? Acá se ve una liebre a diez kilómetros de distancia.

—Dele, apártese de la ruta que en una de esas pasa la caminera. ¿Dónde se tenía que encontrar con su socio?

—En cualquier parte.

Frené y seguí despacio por la banquina hasta que encontré un lugar por donde pude bajar a la cuneta. Unos metros más allá había una alcantarilla que pasaba bajo un puente.

—Usted al volante es un peligro, Zárate. Déjeme a mí.

—Como quiera pero no crucemos el alambrado.

—Eso ya lo escuché en alguna parte.

—Se lo dijo Lem —contesté—. ¿Qué más le contó?

—Me dio la valija. No parecía muy hablador.

—No era cierto que había desplumado a los de Triunvirato, ¿verdad?

—Para serle franco, no; pero algo tenía que decirle a usted para que agarrara viaje.

—¿Por qué me mintió? No somos chicos.

—Yo lo tenía todo calculado. ¿Cómo iba a pensar en el bolsillo roto? ¿Sabe cómo me miraban?

—Me imagino. ¿Dónde está la valija de Lem?

—En el baúl. Venga, traiga la llave.

No me lo esperaba, pero la valija estaba allí junto a otra que tenía los casetes de Coluccini. Adentro había más ropa sin estrenar, latas de sardinas y algunas cervezas como las que Lem me había dejado cuando nos despedimos en el Automóvil Club. Agarramos una valija cada uno y guardamos las pocas cosas útiles que había en la cabina del coche. Yo estaba seguro de que no iban a seguirnos porque no nos habíamos llevado nada y ni siquiera conseguimos humillarlos. El cheque lo podían anular con una simple llamada a Miami pero Coluccini todavía no lo sabía. Se lo dije sin ningún reproche justo cuando estaba en cuatro patas probando si su cuerpo pasaba a través de la alcantarilla. Me pareció que lo tomaba con calma pero luego le oí pegar un grito que resonó en el túnel como el aullido de una vaca herida. Al rato sacó la cabeza, me buscó con la mirada en la oscuridad y por fin se derrumbó de costado, igual que los animales en el matadero. No se movió por mucho tiempo y me dio la impresión de que buscaba algún recuerdo entre los pocos que le quedaban o tal vez pensaba en una cosa que nada tenía que ver con nosotros. El pantalón de Lem se le estaba desarmando y por la costura rota le asomaban las nalgas lechosas y el cuero curtido de la espalda. Me senté sobre la valija y prendí un cigarrillo. Me era indiferente seguir o quedarme allí; si subía a la ruta podría ver las luces de Colonia Vela e imaginar la noche de Alicia, que pensaba en Lem. Todos estábamos atrapados en esa telaraña, caminando por los bordes como insectos que buscan dar un salto desesperado. En ese silencio, mientras lo miraba a Coluccini estirado en el suelo, me pareció que algo tenía que ocurrir y que eso lo cambiaría todo. Me saqué el anillo que me habían puesto en lo de Alicia y lo tiré lejos, a una laguna. Las langostas estaban ocupando el terreno en silencio, como un invasor que llega a buscar los despojos de un festín acabado. Atrapé una al vuelo y sentí las alas y las patas que se debatían entre mis dedos. Casi me habían sacado un ojo allá en la estación de servicio y me cobré la cuenta con ésa, apretando el puño hasta hacerme daño. Froté la mano en el pasto y me sentí extrañamente mal, como si ese gesto pudiera cambiar la suerte de mucha gente. No recuerdo cuánto tiempo pasé sentado mirando a Coluccini. Al fin me convencí de que tenía la costumbre de caerse, tal vez por deformación profesional o porque se desmoralizaba y dejé de pensar en él. Había fumado varios cigarrillos cuando escuché el galope de un caballo que venía por la banquina. De golpe el gordo salió de su letargo y se arrastró hasta un bosquecito de cardos creyendo que allí estaría a salvo. Yo no me moví y esperé a que el jinete pasara, recortado en la oscuridad, rumbo a la cordillera. Subí al paragolpes del auto y lo seguí con la vista pero no alcancé a leer cuál era el número que llevaba en la espalda. Se detuvo un rato frente a la tranquera y después se fue al trote por la cuneta. Coluccini, que todavía estaba aturdido, me preguntó en un susurro cuántos eran y si venían armados. Le dije que se tranquilizara, que sólo era un gaucho que yo había conocido en Colonia Vela y recién entonces se puso de pie, devastado como un ropero viejo. No dijo nada; se espantó unas langostas de la camisa y se puso a buscar en los bolsillos descosidos hasta que sacó un pañuelo y el cheque amarillo.

—¿En serio le parece que no van a venir?

—¿Para qué? No somos tan importantes.

—Si usted sabía que el cheque no nos iba a servir, ¿por qué no me lo dijo antes?

—Usted quería hacerlo, ¿no?

Miró al cielo y después subió hasta la ruta agarrándose de los cardos.

—Ya apagaron la luz —dijo.

—¿Quiere que manejemos un rato? Por lo menos cenamos bien.

—Le pido disculpas, Zárate. Casi los jodemos, ¿eh? —me gritó desde arriba como si estuviera en un escenario.

Lo vi caminar por el puente, escuché que orinaba y después lo perdí de vista. La luna estaba en cuarto menguante medio tapada por las nubes y apenas se sentía una brisa cálida. Yo también me alejé porque se me estaban aflojando las tripas. Allí, agachado entre los pastos, tuve la sensación de que ya no existíamos para nadie, ni siquiera para nosotros mismos. Nos conformábamos con la promesa de un desplante o con un cheque inútil. Lo que nos atraía era mirar nuestra propia sombra derrumbada y quizá pronto íbamos a confundirnos con ella.

Me limpié como pude y fui a buscar unas piedras para calzar las gomas del coche. Las puse bien mordidas contra las ruedas traseras y mientras revisaba la batería oí la voz de Coluccini que me hablaba desde el puente.

—Oiga, ¿lo del paisano era en serio? —me gritó.

—Claro. Va para Chile, me dijo.

—Si se va a llevar toda la hacienda dificulto que llegue.

Al principio no entendí pero cuando subí el terraplén me di cuenta de que la tranquera estaba abierta de par en par y los animales se escapaban por la carretera.

—¡Lindo gaucho! —dijo Coluccini—. Ya no se puede confiar en nadie... Vámonos, Zárate, que nos van a echar la culpa a nosotros.

43

Subió a la ruta, esquivó las primeras vacas que salían del campo, y mientras aceleraba me pidió que le abriera una cerveza. Encendí la luz y destapé dos latas; las langostas saltaban sobre el asfalto atraídas por los faros y algunas venían a reventarse contra el parabrisas. Cerramos las ventanillas y fuimos saboreando la cerveza sin hacer caso de que estaba tibia. Luego de andar un par de horas encontramos una curva larga que Coluccini acompañó con un dedo en el volante y enseguida cruzamos un puente sobre un arroyo seco. De golpe, la ruta se hizo más angosta y vimos que terminaba abruptamente en el campo, sin ninguna señal. Más allá de un descampado salían dos caminos de tierra que se abrían como las hojas de una tijera. El gordo tiró la lata por la ventanilla y frenó con un rebaje del motor sin decidirse a elegir el rumbo. Lo vi insinuar el volante para un lado y para el otro pero al fin siguió unos metros por el campo hasta que encontró el arroyo y por esquivarlo se metió en un pantano. El cárdan enganchó unas ramas que a cada acelerada golpeaban contra el chasis. Coluccini quiso poner una rueda en tierra firme pero el Gordini derrapó y se quedó encajado entre los ligustros.

—¿Usted sabe ubicarse por las estrellas? —me preguntó, como si no hubiera pasado nada.

Le contesté que no sin mirarlo, mientras bajaba del coche. Los faros alumbraban los troncos de unos eucaliptos; eso parecía el fin del mundo, y un poco más allá, donde brillaban los hilos del alambrado, adiviné la trompa discreta del Jaguar de Lem. Pensé que tal vez se le había presentado la misma duda que a nosotros al final del camino y se había parado a dormir. Me acerqué al coche sin hacer ruido y vi que había dejado la puerta abierta pero no quise despertarlo y fui a recostarme contra un árbol. Coluccini me gritó "Ahí tiene a su socio, pregúntele" y después apagó las luces y se fue a estirar las piernas por la orilla del arroyo. Yo estaba bastante cansado y seguramente me habría quedado dormido si no hubiera visto el zapato lustroso que colgaba fuera del Jaguar. Recién entonces me llamó la atención que Lem no se hubiera despertado con el ruido. Me paré de un salto y corrí hasta el coche pero apenas pude distinguir la silueta recostada en el asiento. Le hablé pero no me contestó, y en ese momento comprendí lo que había querido decirme cuando me llamó al Automóvil Club.

Me incliné para encender la luz de la cabina y lo encontré serio, bien peinado, vestido con un traje impecable y una camisa blanca. Tenía un agujero en la sien pero el resto parecía muy prolijo. Había tenido la delicadeza de abrir las puertas para que la bala saliera sin romper nada. La foto de colegial en la que se lo veía con el trompo estaba apoyada en el parabrisas, sostenida por la tacita que yo le había dado para que le trajera suerte. Todo estaba en orden sobre el tablero, como si hubiera hecho un inventario del viaje; el cuaderno de tapas rojas, la colilla manchada de rouge, mi programa para la ruleta, el recibo de una certificada para la familia de Barrante y un paquete de Camel recién abierto. En el piso había un vaso y una botella de whisky por la mitad; lo imaginé a solas, con esa cara olvidable, tristona, tomándose el último trago, pitando un cigarrillo, buscando alguna respuesta en ese horizonte vacío. Lo miré más de cerca y apenas pude contener el impulso de pegarle una cachetada; me daba bronca no haber prestado atención a sus señales, no haber advertido a tiempo que los dados estaban cargados, que cualquiera haya sido su apuesta siempre estuvo perdida. Tal vez lo estaba antes de que ella le dijera que no en el paso a nivel de Colonia Vela.

El traje oscuro le sentaba bien para la ocasión. Se había arreglado el nudo de la corbata pero del bolsillo en lugar del pañuelo asomaba una hoja de cuaderno doblada en dos. Di la vuelta y me senté a su lado como si todavía pudiera darle charla. Aparté la mano que tenía el revólver y le saqué el papel para leerlo a la luz: "Le dejo el auto. Tíreme por ahí. Un abrazo, Lem". Me guardé el papel y le puse en el bolsillo el pañuelo que hacía juego con la corbata; supuse que eso le habría parecido lo correcto. En ese momento recordé un viejo cuento de Bret Harte en el que un hombre hace lo imposible para salvar de la horca a su socio y luego de cumplida la sentencia lo carga sobre una mula para llevarlo al cementerio. Releí el mensaje y me dije que si esa era su última voluntad yo iría a tirarlo por ahí.

Le saqué el arma y lo acomodé en el asiento. Recién entonces me di cuenta de que tenía que cerrarle los ojos. De golpe sentí que me quedaba muy solo y levanté la vista para buscar el auxilio de Coluccini que estaba parado a la orilla del arroyo, tratando de adivinar la dirección de los caminos, buscando un agujero por donde saltar de la telaraña. Saqué las llaves del Jaguar y lo llamé mientras caminaba a su encuentro. No bien me acerqué, se dio cuenta de que Lem había abandonado el juego. Me tendió la mano con un gesto incómodo como si entrara en un velorio y me dio el pésame.

—Se mató —le dije—. Se pegó un tiro.

Me miró fijo un instante y me pasó un brazo sobre los hombros para llevarme a caminar. Dimos varias vueltas alrededor de los eucaliptos y dejó que me sonara la nariz unas cuantas veces sin consolarme ni decir tonterías.

—Era inteligente su socio —me comentó al rato—. Saltó sin red y como cayó mal parado se fue sin saludar.

—¿Por qué no me esperó?

—Hay un momento para retirarse antes de que el espectáculo se vuelva grotesco, Zárate. Cuando uno está en la pista se da cuenta. La gente puede estar aplaudiendo a rabiar pero uno, si es un verdadero artista, sabe.

44

Coluccini durmió en el asiento de atrás del Gordini y yo me tiré a descansar bajo un árbol. Al amanecer, mientras el cielo se cargaba de nubes pesadas, escuché el ruido de un motor que se acercaba y después vi el colectivo 152 que llegaba al cruce. Ahí bajaron los músicos, plantaron una carpa y prendieron fuego. Al fin me quedé dormido, rendido por el cansancio. La tormenta me despertó cuando las gotas pasaron entre las hojas y me cayeron sobre la cara. Había soñado que dormía bajo la lluvia en otra ciudad y con otra gente. Me levanté para guarecerme en el Jaguar y advertí que más allá, bajo un eucalipto, estaba el paisano con un poncho al hombro. El caballo lo esperaba bajo el aguacero, indiferente a todo, mientras el tipo trataba de encender un fuego para hacerse unos mates. Al verme me saludó tocándose el sombrero y después sopló hasta que de entre las ramas secas asomó un llamita tímida como la de un mechero. Lem seguía con el pie afuera y le había entrado tanta agua en el zapato que fui a sacárselo y lo dejé junto al otro en el piso del auto. Me senté a su lado a fumar un cigarrillo y puse en marcha el limpiaparabrisas para mirar la lluvia. Pensé que Coluccini debía tener pesadillas y la estaba pasando mal, porque a veces el Gordini se movía como si alguien le brincara sobre el paragolpes. Abrí la guantera para ver si encontraba otra señal de Lem: no había más que el título del coche y unas aspirinas desparramadas. Quizá había venido a buscar al chico de la foto pero tampoco él sabía cómo llevarse puesto. Me pregunté si al gaucho le pasaba lo mismo y me pareció que sí, sólo que recién empezaba el viaje. A través del vidrio lo vi apagar el fuego y guardar las cosas del mate; después revoleó el poncho que le cubrió el número de la espalda y pasó a mi lado al trote. La lluvia le aplastaba el sombrero y para cortar el alambrado tuvo que bajarse y meter las botas en el barro.

Me tomé un par de whiskys y revisé los bolsillos de Lem. Uno estaba descosido y en el otro encontré plata de todos los países, que no había contado para el inventario. Me guardé la tacita y las cosas que había dejado sobre el tablero y me dije que era hora de ir a cumplir con él. Lo cambié de asiento tironeándolo del saco, me puse al volante y sin decirle nada a Coluccini rehice el camino en dirección al puente. Paré cerca de la baranda, le quité el reloj y lo saqué del coche tratando de que no se golpeara demasiado. Era más pesado de lo que creía y no pude evitar que se me cayera sobre el pavimento. Lo agarré de un brazo y lo arrastré para tirarlo al arroyo pero resbalé y nos caímos los dos. Me acordé de Coluccini que siempre andaba por el suelo y me eché a reír como un estúpido. Calculé que no iba a poder hacerlo pasar por encima de la baranda y lo levanté por los brazos para sentarlo otra vez en el Jaguar. Tenía un aire indiferente pero se estaba poniendo duro y amarillo. Hice girar el volante, puse la palanca de cambios en automático y tiré el pie de Lem sobre el acelerador. Me hice a un lado mientras las ruedas patinaban y al fin el coche se desbarrancó en el arroyo que ya empezaba a traer agua. El mundo de Lem, o al menos lo que había querido mostrarme de él, desapareció de mi vista.

45

Mientras amanecía tomé por la orilla para cortar camino hacia donde estaba Coluccini. La corriente arrastraba girasoles y ramas secas y después de haber caminado un buen rato me topé con una vaca muerta que me cerraba el paso.

Bajé a la zanja y avancé un trecho con el agua hasta las rodillas. Por un momento creí escuchar truenos y al llegar a un recodo vi un jeep que cruzaba por el borde del arroyo. El tipo que iba sobre la rueda de auxilio llevaba un rebenque en la mano y dirigía la marcha a los gritos. Antes de llegar al puente dio un rodeo y se detuvo a medir con qué clase de enemigo tenía que enfrentarse. Estuvo un rato parado y el que iba al volante saltó a tierra gritando algo que no entendí. Trepé hasta la orilla para verlo mejor y aunque no le quedaba uniforme se notaba que era militar. El jeep era una pila de chatarra oxidada que temblaba como una hoja y largaba un humo negro. El tipo hizo una seña hacia el lugar donde yo había tirado el Jaguar y volvió a su puesto. Enseguida el jeep bajó a la zanja y oí un ruido de chapas rotas y vidrios que estallaban. Cuando volvió me di cuenta de que se la iban a tomar conmigo y decidí quedarme quieto, con los brazos en alto.

Por el aspecto debía ser de la Segunda Guerra y no lo habían pintado desde entonces. Como identificación le habían atado al cañón una lata celeste y blanca de YPF. El oficial tenía el pelo gris como Lem pero era más viejo y parecía un linyera. Revoleó las piernas y se paró a mirarme detenidamente con los prismáticos. Al rato me gritó que bajara las manos y me pusiera en posición de descanso. Obedecí y le pregunté si me dejaba prender un cigarrillo pero se hizo el que no me escuchaba. Igual saqué el paquete y eso lo puso furioso; saltó a tierra, empapado y vino a ponerse a dos centímetros de mi nariz como en el servicio militar.

—¡Cante la papeleta! —me gritó—. ¡Y que se escuche!

Le respondí a los alaridos y cuando oyó el número dio dos pasos atrás y me hizo una venia respetuosa. Ya no se le distinguían los galones y el uniforme era una mezcla de bombacha de paisano y chaqueta desteñida. En el pecho llevaba unas cuantas condecoraciones hechas a mano con pedazos de madera y latas viejas.

—¡Esta es zona militar, carajo! —me gritó—. ¿No sabe leer?

—No está señalizado —respondí sin bajar el tono.

—Se robaron los carteles —admitió con un gesto de disgusto—. ¿Cuál era su piné, soldado?

—Siete, creo. ¿Puede ser?

Le gustó que lo pusiera a prueba. Golpeó el rebenque contra las botas, retrocedió unos pasos y me midió con la vista.

—Correcto —me dijo y se dio vuelta a gritar una orden—: ¡Pare el motor, hombre!

El ruido se apagó y del jeep bajó un tipo cuarentón con una vincha en la frente y cara de no haber visto nunca un civil.

—¡Le recuerdo que es la hora de la Patria, mi general! —gritó y se quedó esperando instrucciones. El otro miró al cielo lluvioso, echó un vistazo a un reloj de bolsillo y señaló algo perdido entre la bruma.

—Póngase a las órdenes —me dijo—. Tenemos que izar la bandera.

—¿Queda lejos el regimiento?

—¡Regimiento! Estamos en pelotas como San Martín, ya ve. ¿Usted fue dragoneante?

—No, pero me acuerdo cómo se hacía. En fin, me parece que sí.

—Véngase conmigo entonces. ¿Sabe qué día es hoy?

—No, general. Ya perdí la cuenta.

—Veinticinco de Mayo.

—Mayo es en otoño, ¿no?

—Es cuando se nos hincha el corazón, dragoneante.

—Nos daban chocolate, me acuerdo.

—Tanto no tengo. Hay mate cocido y galleta.

Me saludó otra vez y me invitó a subir. Pensé que Coluccini no se alarmaría por mi tardanza y monté al jeep. La lluvia había parado y quedaba una niebla que lo volvía todo confuso. El chofer avanzó por la parte más plana, donde casi no había pasto y fue bordeando el arroyo. El general me gritó algo que no pude oír por el ruido y prendí el cigarrillo sin pedirle permiso.

Al rato llegamos a una hondonada que habían arreglado como si fuera una trinchera. Abajo había una toldería hecha con cueros de vaca y en la parte más ancha tenían un lugar para guardar el jeep. Más allá vi unas cruces de palo plantadas en la tierra y un poste que les servía de mástil. Al fondo empezaba un campo sembrado de girasol. El jeep paró cerca del cementerio y el general me ayudó a bajar como si fuera más joven que yo.

—¿Hace mucho que no pasa nadie? —le pregunté.

—Eso le venía preguntando, dragoneante; si vio a la infantería.

—No vi nada, no. ¿Lo abandonaron?

—En una de ésas los dispersaron, no sé. Un día nos despertamos y no estaban más.

—¿Hace mucho de eso?

—Bastante. Yo todavía era capitán así que calcule.

—¿Cuántos son ahora?

—Los dos nomás. La oficialidad vieja ya falleció.

—Con su permiso mi general, ¿está seguro de que hoy es Veinticinco de Mayo?

—¿Usted tiene algo en contra?

—No, nada.

—Bueno, entonces vamos al acto.

Le hice la venia y fui a agarrar la bandera que me tendía el chofer. Debía ser mayor o teniente coronel; no se notaba bien porque la lluvia le había borrado las marcas dibujadas con birome. También él llevaba una condecoración de lata oxidada y un crucifijo. Todo lo que quedaba de la bandera eran las marcas de las franjas celestes pero el sol había desaparecido. Fui hasta el mástil y me cuadré tratando de que los tacos hicieran el ruido adecuado. A mi espalda el chofer hizo sonar el clarín y después hubo un silencio de batalla perdida. El cielo se empezó a oscurecer de golpe y mientras yo tiraba de la cuerda y la bandera subía, llegaron las primeras bandadas de langostas.

46

Al llegar la bandera al tope, el cielo estaba negro. Me di vuelta y saludé dispuesto a empezar con el Himno pero el general parecía inquieto, lejos de la fiesta patria. La nube de langostas empezó a descender sobre el campo y cuando todo se oscureció el general dio la orden de retirada. El otro se tiró por el terraplén y yo no sabía para dónde disparar pero el general no perdió la compostura y me ordenó que lo siguiera. Teníamos que cubrirnos los ojos porque los bichos volaban a ciegas y nos golpeaban por todo el cuerpo. El general bajó a la hondonada tirando fustazos y golpeándose las piernas, rodeado por un enjambre de avispas que huían en la misma dirección. Mientras corríamos vimos que el otro le ponía fuego a uno de los toldos y nos señalaba el campo devastado por la plaga. El general me tomó de un brazo y me empujó a una carpa que debía ser su cuartel de operaciones. Adentro había algunas langostas perdidas pero enseguida las acabamos a manotazos y el chofer tapó la entrada con una bolsa de arpillera. Quedamos a oscuras y el ruido que venía de afuera era como el picoteo furioso de la lluvia. Me pareció que el general carraspeaba para escupir algo y volví a pedirle permiso para fumar.

—¡Mierda qué día, teniente! —me contestó y mandó la escupida para cualquier parte.

—El hombre ya no está en edad, mi general —dijo el otro—. Póngale capitán, que se lo ganó.

—¿No le parece que está queriendo mandar mucho, mayor? ¿Por qué prendió fuego sin orden mía?

—Era lo que correspondía, señor. Artículo 47: "contra la plaga, fuego".

—Encima no querrá una medalla por la buena memoria.

—No mi general. Si lo nombra capitán mañana hacemos la ceremonia.

—Quédese y hacemos fanfarria, teniente.

—No, yo ando de paso nomás.

—Bueno, pero preséntese a tomar conocimiento de su misión. ¿Usted sabe qué carajo está pasando afuera?

—Creo que se cae el mundo, general.

—Eso está por verse. Yo no me rendí todavía.

—Tuvo guerra alguna vez?

—No. Quedé al mando del batallón y me las tuve que ir arreglando solo. A ver, mayor: ¿el reglamento nos permite darle una misión al hombre?

—Sí, mi general. Artículo 83, inciso 9: "situación grave o desesperada". Si es teniente se puede aplicar.

—Tuvimos un teniente acá, un tal Heredia, que venía de no sé qué guerra. Usted siempre le tuvo ojeriza, mayor.

—El mocoso ese. Yo le dije que se iba a robar el tanque.

—La radio, los borceguíes, todo se llevó.

—Suponga que un día encuentra la infantería, general —pregunté.

—Justamente, esa es misión suya. ¿Usted sabe lo que hizo Belgrano en Ayohuma?

—Reunió la tropa y retrocedió —respondí.

—Muy bien. Yo antes de replegarme tengo que reunir el batallón.

—¿Para dónde iban?

—No me acuerdo quién se había sublevado en Olavarría.

—Quintana, mi general —dijo el otro—. Fue en Azul.

—El general Quintana. Armó un quilombo bárbaro y nos mandaron para allá. Yo era capitán.

—No —intervino el otro—. Usted era mayor y yo teniente.

—Bueno, tuvimos un tiroteo. Ahí se rindió el coronel Vianini pero nosotros seguimos. No sé por qué. Después ya falleció mucha oficialidad superior y nos tuvimos que ir ascendiendo solos.

—Seguimos porque el pelotudo de Fulco quería probar las bengalas —dijo el mayor.

—Ahora estará en el Estado Mayor, seguro. Era buen oficial. Vaya mayor, prepare unos mates.

—Es la última bolsa, le aviso.

—¡La última! ¡Hace veinte años que es la última!

—¿Sabe de qué me estaba acordando, mi general? —dijo el mayor—. Cuando mi tía me mandaba pastelitos al liceo.

—Qué dirá ahora, ¿no? Como mi mujer, vaya a saber qué está pensando.

—En una de ésas los están buscando —dije y corrí la arpillera para ver si las langostas seguían allí. Ya no había ruido, pero como hablábamos en la oscuridad me parecía que todas las voces salían de mí mismo.

—Pasó un helicóptero hace un tiempo pero nos habrán confundido y ahí perdimos el cañoncito.

—Un as el tipo —dijo el mayor—, le pegó un chumbazo en el detonador y no quedó nada.

—Con 70 milímetros tiraba. Siempre me acuerdo la cara que puso Meinak. Se imagina que me rendí enseguida, pero no volvieron nunca más.

—¿Quién es Meinak?

—Era el artillero. Está enterrado con los otros. ¿Usted sabe lo que hizo San Martín en Cancha Rayada?

—Con todo respeto, mi general, usted sólo se acuerda de las derrotas —le señalé.

—Es que son más heroicas. De lo nuestro se va a acordar todo el mundo, lo van a enseñar en las escuelas.

—¿Cuál es su enemigo ahora? —le pregunté.

—Todo lo que se salga de la ruta.

—Ya no hay langostas —dije.

—Bueno, hemos pasado cosas peores. Tómese unos mates que ya vamos a empezar las maniobras.

—Con su permiso voy a seguir camino, general.

—No hay camino, teniente. ¿O se cree que estamos acá de puro huevones?

—Yo voy por el arroyo. ¿Cuál es la misión?

—Si llega a encontrar la infantería que se presente de inmediato.

—Mi tía está en Santa Fe —dijo el otro moviéndose en la oscuridad—. Avísele que suspenda los pastelitos. Vaya a saber quién los recibe en mi lugar.

—Deje, mayor —dijo el general—, no le quite la ilusión.

—Entonces nada. No le diga nada.

Prendí el encendedor y aparté la arpillera para salir. Ellos vinieron detrás y encontramos el campo pelado. Era como una sábana bien planchada tendida hasta el horizonte.

—Adiós a la cosecha —dijo el mayor y levantó el clarín que brillaba como si acabara de lustrarlo. El general me tendió una mano grande y arruinada y después me hizo la venia.

—Cumpla las órdenes, teniente. Y si no que la patria se lo demande o algo así. No recuerdo qué número lleva eso en el reglamento.

—Quédese tranquilo, general —le dije—. Van a venir.

Mientras me alejaba por la orilla del arroyo escuché el toque de clarín que me despedía y me di vuelta para saludarlos. La langosta había pasado y en el mástil ya no quedaba nada.

47

A lo largo del camino encontré los restos de tres autos y un camión aplastados. La chatarra estaba tirada en el lecho del arroyo y no me animé a mirar entre las chapas. Hacía mucho tiempo que los habían arrojado ahí y nada de lo que quedaba tenía utilidad. A mi alrededor sólo veía tierra pelada bajo un cielo gris. La ropa mojada me pesaba para caminar y aunque había estornudado unas cuantas veces igual me quité el saco y la corbata. Según el reloj de Lem eran las diez y veinte de un martes pero no tenía ninguna seguridad de que el día y la hora fuesen ciertos. El arroyo hacía unas curvas caprichosas en un terreno siempre igual y después del paso de la langosta ya no podía orientarme por las copas de los árboles. Anduve un par de horas hasta que encontré un galpón de chapas abandonado y unas vías del ferrocarril que terminaban allí. Me desvestí y me acosté junto a la entrada, al abrigo del viento que empezaba a correr. Al despertar vi a un gato colorado que me vigilaba desde un depósito de agua. En otro tiempo el tanque habría servido para abastecer las locomotoras a vapor pero ahora estaba rajado de arriba abajo. Por un instante me pregunté si no me habría extraviado, pero estaba seguro de que si seguía el arroyo llegaría al lugar donde había parado Coluccini. A no ser que ese fuera otro arroyo. Igual ya no podía volver atrás y me di cuenta de que había dormido mucho porque ese era otro día, más luminoso y soleado. Fui a lavarme en un tambor donde se había juntado agua de la lluvia. El suelo estaba lleno de lagartijas muertas y en el aire zumbaban moscardones perdidos. Mientras me vestía para ir a buscar al gordo pensé que estaba como en los primeros días, perdido y hambriento.

También allí se bifurcaba el camino; podía seguir el arroyo o tomar por la vía que corría recta hasta donde me daba la vista. Elegí el arroyo y fui por la orilla a paso ligero, sin distraerme, pensando que en una de ésas podía cazar un peludo o una mulita para asar a la noche. No encontré nada. Todas las plantas estaban secas y no había animales, salvo el gato que me seguía como si yo conociera el camino. A la caída del sol divisé la capota del Gordini y corrí hacia él. Los músicos ya no estaban y tampoco encontré a Coluccini. El coche tenía las ruedas hundidas en el barro y por las huellas me di cuenta de que el gordo trató en vano de sacarlo de allí.

Se dejó las luces prendidas y la batería estaba agotada. Se había llevado la valija con los videos que debían ser su único tesoro. Sobre el tablero encontré algunas langostas aplastadas. La comida estaba rancia pero quedaba un poco de queso que había aguantado el calor y unas latas de cerveza tiradas en el suelo. Me acomodé frente al volante y contemplé la puesta de sol. Imaginé que también el general y el mayor la estarían mirando. Busqué al tanteo en la guantera y encontré los anteojos negros, un mazo de naipes y unos papeles sucios de grasa. Eran recortes de diarios y viejos programas de circo que Coluccini no me había mostrado. Me los guardé y fui a abrir el baúl para ver si se había llevado las cosas de Lem. Todo estaba en su lugar: ropa, cigarrillos y lo necesario para un viaje. Aproveché la última luz para afeitarme con buena crema y cambiar de traje. A lo mejor Coluccini pensó que yo lo había abandonado y siguió solo, con los videos a cuestas.

Tomé el bolso y salí al cruce de los caminos. Los dos parecían iguales y decidí echar el rumbo a la suerte con la tacita. La arrojé al aire de espaldas y cuando cayó la seguí con la vista hasta que se detuvo unos metros más allá. Fui para ese lado, que era el de la puesta del sol y me dije que tarde o temprano pasaría alguien a quien pedirle que me acercara hasta la próxima rotonda. Estaba bien vestido y parecía una persona respetable que había tenido un contratiempo con el auto. Así anduve mientras oscurecía y apenas si podía ver los arbustos que invadían el camino. Era medianoche cuando encontré un paso a nivel y me senté a descansar. Me pregunté si el paisano de Colonia Vela se habría molestado en despachar la carta para mi hija y me dije que sí, que algún día en otro buzón encontraría la respuesta.

Mientras miraba las estrellas vi una luz que se movía a lo lejos, al fondo de la vía. Estuvo un rato fija en el mismo lugar y luego empezó a acercarse sin hacer ruido. Prendí un cigarrillo y me recosté a esperar. Al rato apareció la silueta de Coluccini que cargaba la valija y avanzaba sonriente. Al verme levantó un farol cuadrado de los que usan los señaleros del ferrocarril y se quedó parado como si esperara que le diera la bienvenida. Estaba muy embarrado y pensé que se habría caído en algún charco. Le dije que se sentara y le ofrecí cerveza pero me respondió que no tenía sed. Se acomodó sobre la valija y estiró los pies con los zapatos rotos.

—No me lo va a creer —dijo—, pero acabo de ver a Jesucristo en persona.

—Le creo.

—Estaba en la cruz, a los gritos: "¡Coluccini!", me llamaba, "¡Coluccini!", Imagínese que yo he visto de todo, pero me pegué un susto bárbaro.

—¿Usted es creyente?

—No, y fue lo primero que le dije. Estaba lloviendo a baldes y de pronto no sé qué pasó pero le aseguro que todo empezó a temblar.

—Langostas —le dije—. Pasó una plaga.

—Puede ser. Usted se había ido a llevar a su socio y de golpe entre los relámpagos veo la cruz y el Cristo que me llama. Al principio pensé que lo conocía de alguna gira porque hay muchos que se ganan el mango con eso, pero no, a éste no lo había visto nunca. "¡Coluccini!", me gritaba, "¡Coluccini!". Entonces me acerco y le pregunto: "¿Coluccini qué?". "Coluccini Antonio" me dice desde ahí arriba. Yo no sabía qué hacer, si ponerme de rodillas o salir corriendo. "¿Qué hacés acá?", me dice, "siempre aparecés donde no te corresponde".

—Estaría alucinado.

—Qué sé yo, había una tormenta bárbara. "¡Viejo pecador", me dijo, "que Dios te bendiga!".

—¿Y después?

—Nada. "L'avventura è finita!", gritó y empezó a temblar todo. Creo que me desmayé, le soy sincero.

—¿Todavía va a Bolivia?

—Y, ahora más que nunca. ¿Y usted?

—No sé, cada vez que me encuentro con alguien me encarga una misión. Ahora tengo que buscar una infantería perdida.

—Quédese, entonces. Vaya a sacar petróleo. Acá cerca tiene un tren.

—Envido, Coluccini.

Me miró con una sonrisa beata. La lámpara nos alumbraba desde los durmientes y hacía brillar los rieles sobre la tierra pelada.

—Yo ya no puedo perder, Zárate. Estoy en Bolivia y los recuerdos son míos de nuevo. Falta envido.

—¿Se juega el Jesucristo?

—Contra su infantería.

—¿De dónde sacó ese farol?

—Del tren —señaló a su espalda—. Creo que lo está esperando a usted.

—Está bien. Quiero —dije y saqué los naipes.

48

Las cartas las di yo pero igual me ganó con treinta y tres. Seguía con la sonrisa y parecía tan confiado que por primera vez me pareció que iba a llegar a Bolivia. Quizá había encontrado el hueco en la telaraña y me invitaba a saltar aunque fuéramos hacia lugares diferentes. Yo había cumplido con Lem y ahora Coluccini se llevaba mi recuerdo del general y su infantería perdida.

Estaba mano a mano con todos y tal vez un día lo estuviera conmigo mismo. Guardé las cartas y le ofrecí la tacita para que se acordara de mí allá en la selva. Me dijo que no, que la guardara porque iba a hacerme falta y levantó el farol para mirar el camino que le esperaba. A los costados los alambres estaban caídos y ahora se podía atravesar el campo como si fuera un desierto. Me dijo que lamentaba abandonar el Gordini pero que se le había fundido el motor cuando quiso sacarlo del pantano.

—Le dije que había que cambiarle el aceite.

—Sí, usted siempre se acordaba de esas cosas. Si un día viene a Bolivia pregunte por mí. Todo el mundo me va a conocer.

—No se meta en líos, Coluccini. En una de ésas el de la cruz era un estafador. Creo que en el Evangelio gritaba otra cosa.

—Qué importa eso, Zárate. Grita lo que uno necesita.

—Mi nombre no es Zárate.

—Nunca me dijo cómo se llamaba. ¿Por qué no le escribe a su hija y le dice la verdad? Anímese.

—Si encuentro un buzón... Le puedo contar que tuve un amigo que volaba y sacaba siempre las cartas que quería.

—No le diga que me iba mal. Cuéntele que me aplaudían.

—Pero si usted me pide que diga la verdad.

—Hicimos un trecho juntos, Zárate, y usted no sabe nada de mí. Póngame unos aplausos que todavía tengo mucho camino por delante.

—¿Ya sabe por dónde ir?

—Cuando usted haga bien la cuenta también va a saber. Suba al tren y escriba esa carta. No afloje, no ponga el pie en el freno. Y si alguna vez le toca abandonar la partida asegúrese de que alguien vaya a tirarlo por ahí. No es bueno quedarse tapando el camino.

—¿De veras hay un tren?

—Allá —señaló un lugar en la oscuridad—. ¿Quiere que le haga un plano para llegar?

—No, ya es hora de que empiece a orientarme solo.

—Si lo encuentra toque pito. ¿El gato va con usted?

Me di vuelta y vi al colorado que nos miraba asomado detrás de la vía.

—No sé, me sigue desde anoche. Gusto de haberlo conocido, Coluccini.

—Encantado —se levantó para darme la mano—. Le queda muy bien ese traje.

Iba a darle los recortes que encontré en el coche pero pensé que si los había dejado era porque no los necesitaba. Insistí para que se quedara con la tacita y al fin aceptó y se la guardó en un bolsillo que tal vez no tenía fondo. Me dijo que me llevara el farol y nos dimos un abrazo. Lo dejé ahí, con la sonrisa bien puesta y eso me tranquilizó. Parecía un pordiosero y no iba a ser fácil que alguien lo levantara en la ruta. Me dije que en una de ésas, sin saberlo, los dos estábamos llegando a alguna parte. Fui por los durmientes, calculando la distancia para no tropezar porque el terraplén se hacía cada vez más alto. El farol daba una luz amarilla muy tenue, apenas suficiente para sentir la compañía del gato que iba adelante. Caminé toda la noche y cuando por fin empezó a clarear distinguí los contornos de un tren muy largo que asomaba en un desvío del ramal. La señal de partida estaba baja y el semáforo en verde pero no vi a nadie en la locomotora y los vagones tenían las cortinas bajas. Apagué el farol y fui a ver si el maquinista no estaba durmiendo. Antes de subir golpeé las manos pero no tuve respuesta, y en la cabina sólo encontré unas cuantas langostas muertas y una hoja de ruta abrochada en el tablero. La partida estaba prevista para las ocho pero no decía de qué día ni yo sabía en qué fecha estábamos. Tiré de una cuerda para tocar pito como me lo había pedido el gordo y esperé a ver si venía alguien. Lo único que se escuchaba era el silbido del aire que entraba por los vidrios rotos. Bajé resbalando por el terraplén y corrí hasta el coche del guarda pero también estaba vacío. El gato subió de un salto y se quedó mirando los arbustos secos arrastrados por el viento. Aparté los yuyos que se me habían enredado en las piernas, llevé el bolso al último vagón y abrí todas las ventanillas para que entrara el sol. Después saqué la última cerveza y me senté a esperar que el tren arrancara.

ESTA EDICIÓN DE 2 000 EJEMPLARES SE TERMINÓ
DE IMPRIMIR EL 10 DE OCTUBRE DE 1992 EN LOS
TALLERES IMPRESORA PUBLIMEX, S.A. DE C.V.
CALZADA SAN LORENZO 279, LOCAL 32
09900, MÉXICO, D.F.